WEST VANCOUVER MEMORIAL LIBRARY

D0021538

01/02
35 00

PLAZA JANÉS

Withdrawn from Collection

EL AMANTE LESBIANO

WEST VANCOUVER MEMORIAL LIBRARY

JOSÉ LUIS SAMPEDRO

EL AMANTE
LESBIANO

areté

Primera edición: enero, 2000
Segunda edición: febrero, 2000
Tercera edición: marzo, 2000

© 2000, José Luis Sampedro
© de la presente edición: 2000, Plaza & Janés Editores, S. A.
 Travessera de Gràcia, 47-49. 08021 Barcelona

Queda rigurosamente prohibida, sin la autorización escrita de los ti-
tulares del «Copyright», bajo las sanciones establecidas en las leyes, la
reproducción parcial o total de esta obra por cualquier medio o proce-
dimiento, comprendidos la reprografía y el tratamiento informático, y la
distribución de ejemplares de ella mediante alquiler o préstamo públicos.

Printed in Spain – Impreso en España

ISBN: 84-01-34152-3
Depósito legal: B. 13.165 - 2000

Fotocomposición: Lozano Faisano, S. L.

Impreso en A & M Gràfic, S. L.
Santa Perpètua de Mogoda (Barcelona)

L 3 4 1 5 2 3

A Olga Lucas,
en el puente Shinvat

Entremos más adentro en la espesura.

San Juan de la Cruz

Ama y haz lo que quieras.

San Agustín

LA VIVENCIA

Qué es esto? ¿Dónde estoy?... No conozco este lugar. ¿Cómo he llegado hasta aquí? ¿Qué dirección le habré dado al taxista? Pues sin duda tomé un taxi al salir de la consulta, como siempre. Estaba contento, después de acudir tan preocupado por mi dolor del pecho, más frecuente estos últimos días. Sí, entré temiendo que me hospitalizaran, pero fue lo contrario. El electro resultó como siempre. El doctor Navarro me dejó tranquilo; me acompañó hasta la puerta, me despidió sonriente: «Hasta el día 21.» Bajé en el ascensor. El pavimento del vestíbulo siempre resbaladizo; menos mal que el portero estaba allí... Pero después, nada: un vacío y verme en este lugar... ¡Qué grande! Me recuerda el museo de Orsay o una gran estación central, con gente yendo y viniendo. ¿Será ese parque inaugurado hace poco? Centro de congresos, exposiciones y todo eso... ¡Qué altura de techo! Ni lo veo; lo oculta como una nube luminosa. El estilo de ahora, deslumbrar, pero es agradable, parece dar la bienvenida. Sin duda el taxista me entendió mal, ahora traerá aquí a mucho curioso... ¿Qué más da? No tengo nada que hacer, mi tiempo es mío, y me siento bien, el doctor Navarro me ha dado ánimo. Además tengo el mejor síntoma: mi bienestar como nunca, una levedad del cuerpo, libre de peso, da gusto. Influye también el buen tiempo, este aire y esta luz; invitan a pasear. Acacias ¡gran idea plantarlas!, estaban desapareciendo estos árboles tan madrileños, con su flor blanca en primavera. Y este suelo como una alfombra, césped artificial, seguro, inventos modernos, pero estos arbolitos como los de mi barrio, esta calle como la mía… ¡Y ese cine! ¡Esa película! Uno de arte y ensayo, claro, anunciando *El ángel azul*, nada menos, vendré a verla, Marlene cantando, bien plantada, brazos en jarras, imperiosa, aquella voz grave, tentadora, su fabuloso muslo en primer plano, lo imitó Silvana Mangano en *Arroz amargo*, pero no llegó a tanto, ¿o sería mi adolescencia deslumbrada por la carne de Marlene?… ¡Qué suerte equivocarme con el taxista! Así he descubierto este cine, hay que bajar escaleras, como en la sala Pleyel a la entrada de la calle Mayor. Volveré a este nuevo parque, cada vez me siento más a gusto, ni siquiera me roza ya la dentadura, me molestaba estos días… Lo sorprendente es la luz, antes no veía el techo, ahora no veo las nubes, la luminosidad lo cubre todo, color gaseoso y variable, más bien azul cuando llegué, ahora virando al verde, tan suave, todo sosiego, y este oportuno banco, sentarme y respirar. ¡Esto es vida!… La inolvidable Marlene, aquella imagen suya para siempre, sentada en su alto escenario, una pierna extendida, la otra replegada y abarcada por los brazos desnudos, la media negra y el tirante del liguero, contraste con el muslo blanquísimo, tierno y poderoso, esclavizando al profesor Unrat, haciéndole cacarear grotescamente. Sus alumnos acudiendo a reírse de él, a despreciarle, yo entonces también me reía, ahora envidio a aquel viejo, bebiendo hasta su final la copa de la vida, en deliciosa degradación… La Vida… ¡Tantos mueren sin probarla! Esa gente que veo pasar, incluso los ufanos en su coche, no digamos los viajeros del tranvía… ¡Dudo de mis ojos: ha pasado uno sobre sus raíles! Amarillo, tintineando, el conductor hace sonar el timbre pisando una palanquita. ¡Increíble, yo creía que los habían suprimido! Me vuelve a mi juventud, otra alegría en este lugar. Y un espectáculo esa bóveda luminosa, ahora verde con estrías doradas, mechas en hermosa cabellera, como en las discotecas de luces psicodélicas, aquí en mayor escala y más suave armonía. ¿Acaso un techo colosal cubre todo este recinto? No imaginé algo tan extraordinario cuando la noticia de su inauguración...

¿Cuánto tiempo llevo aquí? Imposible saberlo: mi reloj se ha parado. Inexplicable, venía funcionando bien, lo llevaré a componer, pero llegué hace rato, ¡cómo han pasado las horas! Seguro es más de mediodía, ¿cómo no siento hambre? Sólo viva curiosidad, y sensación creciente de haber estado antes aquí, de conocer ya este lugar, ¡imposible!... Sin embargo no me siento ajeno, acepto tanta técnica sin rechazo, la sorprendente luz, el tranvía inesperado, hasta la calle y los transeúntes me resultan casi familiares... Lo extraño no me inquieta, ¿por qué habría de inquietarme sintiéndome tan bien, tan seguro? No importa que me atraviesen ráfagas de recuerdos imprecisos, como las rayas doradas en la luz. ¿Invento ahora memorias difusas? ¿Acaso cabe crear recuerdos? ¡Sería como inventar hoy el ayer: un tiempo reversible! Pero claro que se inventa, a veces nos convencemos de haber sucedido lo que no pasó o, al revés, de que no ocurrió lo que vivimos, pero eso es el olvido, aunque hay varios olvidos como hay memorias diversas. Ahora mismo me asedian dos distintas: una obsesionada con *El ángel azul*, el que me deslumbró hace medio siglo, la otra con algo más oscuro pero acuciante... ¿De dónde ha surgido ésta? ¿Qué quiere recordarme? ¿Acaso algún quehacer pendiente? ¿Entonces no me equivoqué con el taxista? ¿Vine aquí a sabiendas? ¿A qué? No, no lo sé, me esfuerzo en vano por recordar mejor, hasta la luz arriba se ha vuelto más oscura, pero esa incertidumbre no me altera, mi bienestar no declina, tan anclado como el tiempo en mi reloj inmóvil.

Ha pasado otro tranvía, ha variado el color de la luz y sigo en mi paz, acomodado en el aire que me envuelve, sin más. El sol no ha aparecido, tampoco hay nubes y no puedo suponer una techumbre cubriendo la calle. ¿O sí? Me resulta curioso, difícil de explicar incluso, pero no me hace cavilar. No, tampoco perturba mi ánimo este flotar sobre lo nunca visto y sin embargo a veces recordado, como me ocurre con ese bar de enfrente, Cafetería Veracruz. El nombre no me dice nada, pero su situación en la esquina, la puerta en el chaflán, la disposición de las ventanas y, sobre todo, la lámpara colgada del techo... Todo parece encajar con una vivencia anterior. Para comprobarlo me levanto, cruzo la calle y entro en el local. Sí, recuerdo esa lámpara, pero la barra no estaba en ese lado, no me pregunto cómo lo sé sino que avanzo hacia ella y pido un café a la camarera. ¿Acaso también conocida y por eso me dirige esa mirada? Me sirve y le pregunto el importe. Me contesta extrañada:

—Nada... ¿No sabe usted que está todo incluido?

—¿Cómo que está incluido?

—En su entrada al recinto.

—No comprendo. Yo no he pagado entrada.

—Alguien habrá pagado por usted... Su familia, algún amigo...

—No imagino quién. Vivo solo.

—A veces alguien piensa en nosotros y no lo sabemos —me habla lentamente—. En todo caso yo no le puedo cobrar.

Su voz es cordial, pero concluyente. Temo llamar la atención y, tras darle las gracias, me concentro en saborear el café, desde luego excelente, mientras ella atiende a otros. Esa sorpresa de descubrirme invitado en este lugar, sin saberlo, reaviva mi impresión de haber venido aquí por algún motivo, como se me ocurrió hace poco, quizás citado con alguien. Y estimulada así mi memoria oscura me devuelve otro recuerdo: el de un bar como éste, más bien una tasca de mi tiempo, llamada Casa Velázquez, cuyo nombre me lo aclara todo: las iniciales son las mismas que las de esta Cafetería Veracruz. El local es aquél y la lámpara ha sobrevivido a otras reformas… En fin, he vuelto a donde estuve y, ya con esa certidumbre, miro a la camarera que me sonríe receptiva, adivinando mi descubrimiento:

—Creí que ya no me recordaba usted, señorito Mario.

—Usted es Chelo, ¿verdad?… ¡Claro que la recuerdo! Pero la encuentro tan joven…

—También usted. ¿De qué se sorprende? Las personas en la memoria no varían… Estamos como si viniera usted ahora a sentarse otra vez allí, en su mesita, con sus libros y sus papeles.

—Ya veo que me recuerdas bien… Oye, ¿qué lugar es éste? ¿El parque nuevo?

Súbito asombro en su rostro.

—¿No lo sabe? ¿Será posible? ¿Qué hace aquí entonces?

—He venido a no sé qué… Me trajo un taxista —respondo sin aclarar que no estoy seguro.

—¡Ah, eso lo explica: a veces ocurre así!… Pues a esto le llamamos Las Afueras. Esto es, no sé decirle, como un parking pero multiuso. Tiene estación, jardines, escuelas, cines, clínicas, hasta residencias, ¡qué sé yo!… ¿A usted qué le parece?

—Estupendo, sólo que no me acuerdo de lo que he venido a hacer. Cuando lo resuelva me marcharé, claro, pero pienso volver: me siento muy a gusto y me ha dado alegría verte y hablar de entonces.

—A lo mejor a eso ha venido usted, digo yo: A vivir a gusto. Bueno, a mí también me ha alegrado verle.

Me despido y me alejo en dirección opuesta a la entrada, hacia un ensanchamiento del local donde se vende prensa y artículos de fumador y papelería. Como ya me voy acostumbrando a lo raro no me sorprende ver que los periódicos no son del día sino semanarios y revistas viejas, en su mayoría de los años veinte y treinta: *Blanco y Negro, Nuevo Mundo, La Esfera* e incluso otros divertidos como *Buen Humor* y *Gutiérrez*. Me encanta reconocer portadas de *Estampa*, que compraban mis padres, y algunas de *Crónica*, que los muchachos curioseábamos con picardía por el erotismo de la «Foto de arte» de Manassé y el exquisito dibujo a toda plana de Federico Ribas, más elegante aún que las *pinups* posteriores del peruano Alberto Vargas. Y, para mi infantil nostalgia, descubro también números de mis primeras lecturas: *TBO, Colorín, Macaco, Pinocho...* Cojo alguno, paso a otro, reconozco personajes, historietas... No me cansaría nunca. Empiezo a temer un reproche de los vendedores cuando observo que un señor se marcha a la calle llevándose tranquilamente un número de *Blanco y Negro*, sin que el vigilante de la puerta se lo impida. Le pregunto al agente si eso está permitido.

–Claro... Llévese las que le gusten.

Por lo visto también eso está incluido en la entrada. Usando de esa libertad me encuentro poco después cómodamente instalado en un banco del paseo, junto a un macizo de flores: La claridad en lo alto ha seguido cambiando y ahora luce el dorado pálido de un atardecer tranquilo. Me distraigo curioseando un número de *La Esfera* del mismo año en que nací, con un artículo de Francisco Camba, una entrevista con el «maestro de novelistas» Alberto Insúa a raíz de su último éxito y una reproducción a todo color de Robledano que representa un «Tuesten hípico»; es decir, un tinglado para baile verbenero con sus farolillos, sus guirnaldas y el bastonero imponiendo el orden entre los castizos asistentes. Algo que me recuerda, a escala provinciana pero con artística gracia, el *Moulin de la Galette* de Renoir. Me conmuevo recordando aquel Madrid, arrasado por la guerra antes de que yo hubiera podido conocer su humano estilo de vida; aunque algo me comunicó mi padre, que compartía su amor a aquel mundo con su dedicación al arabismo, haciéndome leer a los costumbristas de la época, como el incomparable López Silva, y hablándome cuando paseábamos por las calles de aquel vivir, más allá de la plaza Mayor y el arco de Cuchilleros donde habitó la galdosiana Fortunata. *La Esfera* me impulsa a recordar, pero el tiempo pasa (o eso imagino, a falta del testimonio de mi reloj) y me reprocho vagamente no estar ya haciendo lo que sea. Si esto es un Centro multiuso razón de más para suponerme alguna intención concreta al venir aquí. Pero no he traído ni siquiera documentos en una cartera. ¿Y de qué podrían ser los tales documentos?... ¡Qué importa: ya saldrá lo que sea! Disfrutaré entre tanto de no haberme encontrado nunca mejor. ¡Y pensar que acudí acongojado a la consulta! Me siento tan bien como un niño; seguro que los niños no se preocupan de su cuerpo, lo disfrutan sin más. Ya los jóvenes son conscientes, pero más bien para jactarse de sus proezas... Por lo visto de viejo, sin dolores, mi cuerpo no me dice nada, y en eso consiste mi bienestar, mi beatitud.

—Perdone, señor, se ha olvidado usted esto.

Levanto la mirada hacia un botones sonriente, con su gorrito cilíndrico de color rojo. Me ofrece un paquete algo mayor que una caja de zapatos.

—¿Eso es mío? No tengo ni idea.

—Sí señor. Se lo dejó usted en la barra del bar. Lo encontró luego una clienta que se lo entregó a la camarera y ella me ha mandado traérselo.

¿Es posible que yo lo trajera en el taxi y viniera aquí con esto? Pero no lo llevé a la consulta. ¿Acaso pasé por casa a recogerlo? Una vez más, con esta memoria mía, todo es posible. Entonces el contenido tendrá que ver con mi venida aquí; a lo mejor me recuerda el motivo que me trajo... Examino el paquete y creo reconocer el papel que lo envuelve. ¡Y la cinta, sobre todo la cinta! No es un bramante sino una tira de seda malva con un nudo aplastado, sin duda, por haber estado guardado bajo ropa o envoltorios. Curiosamente, la luz en lo alto tiene ahora ese mismo matiz. Dejo la revista que leía y coloco la caja sobre mis rodillas. Estoy seguro de que es importante para mí, pero todavía no lo sé. Con abrirlo... pero no me atrevo. Es absurda mi inacción frente a un problema tan fácil, pero quiero probar a mi memoria, la habitual o la oscura. Siento emerger la sospecha, convertirse en creencia... ¡Las postales! Sí, las que guardaba mamá de toda su familia, escritas desde Argelia y Marruecos, por sus parientes y amigos, desde principios de siglo. ¡Qué gran distracción para mi infancia repasarlas una a una, contemplar los paisajes o figuras, curiosear los mensajes escritos al dorso (si estaban en francés me resultaban ilegibles) y agruparlas por lugares de origen, por temas representados, por remitentes o según otros criterios, lo mismo que se hacen solitarios con los naipes! La última vez que las manejé, hace muchos años, fue para separar de ellas las estampitas piadosas conseguidas en el colegio: una especie de depuración porque ya entonces, poco antes de la guerra civil, empezaba yo a encontrar bobaliconas aquellas imágenes y no les concedía el valor supersticioso de cuando, con menos edad, nos servían a los chicos de amuletos para ayuda celestial en los exámenes. Al estallar la sublevación militar y empezar en Madrid ciertos registros domiciliarios por patrullas incontroladas a las que pudiera resultar sospechosa tanta relación con Marruecos, mamá escondió la caja en algún sitio y no las volví a ver. Pero están aquí, no lo dudo. Aunque quizás no todas: no cabrían en este paquete. ¡Cómo voy a disfrutar! ¡Lo que me faltaba para celebrar haber descubierto estas Afueras!... Hombre, otro tranvía... ¡Pero si es un 3, el que pasó toda la vida por mi calle! Y ahora llega hasta aquí... Providencial: a tiempo para volver a casa en él.

Deposito el paquete sobre la mesa camilla en el cuarto de estar y alzo la mirada hacia el retrato de mamá, señero y dominante en toda la pared, desde donde me lanza una mirada como una saeta. Reacciono con un respingo de sorpresa: no era ésa su mirada; la encuentro diferente.

¿Qué me está ocurriendo? Postergo las postales y me siento frente a la ampliada fotografía, en la que mamá nos dejó su desafiante juventud. Emergiendo del generoso escote, muy de mil novecientos, la ambigua postura del busto es fronteriza entre perfil y dorso, mostrando de tres cuartos, casi de espaldas, la nuca desnuda, erótica entonces, bajo el recogido cabello negro. El rostro se vuelve a medias por encima de la morbidez del hombro y exhibe la audaz arista de la nariz, la sensual curvatura de la boca y, sobre todo, a lo condesa de Éboli, el mirar penetrante aunque a la vez lejano de una pupila azabache.

No es el primer cambio de ese retrato, recuerdo. En mis juveniles años fue nuestro *mihrab* de las mezquitas, el nicho sagrado orientador de los creyentes hacia La Meca. En él, desde su nube de gasa en torno a los hombros, mamá era el ideal, mi maga bienhechora, mi sol resplandeciente. Años después se desgarró el hechizo: con el fracaso de mi matrimonio y mis aprendizajes vitales pasé a interpretar su postura casi de espaldas como si mamá, sintiéndose abandonada, se alejara de mí hacia su soledad, lo cual me dejaba indiferente pues, por entonces, yo la culpaba de haber perturbado mi vida empeñándose en moldearla a su estilo, como si todos fuésemos de su misma condición. Sólo me sentí más compasivo durante su larga enfermedad final, que pareció dejar ya inalterable el retrato para siempre.

De ahí mi asombro al enfrentármelo ahora, porque no veo a mamá alejarse sola, sino permanecer aquí e incitarme con la mirada y una incipiente sonrisa a no sé qué complicidad o qué destino. Vuelve a reinar en su nicho sagrado, si no como el sol que fue, desde luego como una luna comprensiva, lámpara de la noche, benévola y abierta. Tal reaparición me seduce aunque a la vez se eriza de interrogantes: ¿Cuál es el invisible cambio? ¿O soy yo el que ha cambiado?... ¡Si apuntase una esperanza!

Cada sorpresa de este mágico día consolida mi bienestar: estas extrañas Afueras, las postales, mamá volviendo a su reino... ¡Las postales! Suyas eran y seguro que su reaparición se relaciona con el cambio en el retrato; no puede ser casualidad. Las contemplaré aquí mismo, bajo su mirada, en un rito de ofrenda propiciatoria, restaurador de nuestra convivencia primera. Conmovido, mis gestos se hacen reverentes al deshacer el envoltorio para sacar la caja de lujoso cartón, con su decoración floral estilo *art nouveau* en azul y malva. En la tapa, entre lirios y violetas, una rubia beldad digna de Alphonse Mucha y el nombre de un perfume francés entonces famoso: *Iris Bleu*, de Pivert... Rebosa de tarjetas y esparzo unas cuantas sobre la mesa. ¡Qué variedad de procedencias! Argel, Orán, Sétif, Biskra, Philippeville, Bone, Sidi-Bel-Abbès, Melilla, Tetuán, Tánger, Larache, más las enviadas desde España, Francia, Italia... Entre varias de la Exposición Universal de París de 1900 una representa la *Grande Roue* con la *Tour Eiffel* y otra, patética, muestra a Beanzin, último rey negro de Dahomey, fotografiado a la puerta de una cabaña colonial en compañía de cuatro esposas, todas de pie junto al monarca, sentado en una prosaica silla europea. Al dorso, el desconocido remitente de la postal informaba a mi abuela de que Beanzin repetía siempre a los curiosos que le interpelaban: *Amis, amis, toujours amis...* Así exhibían, como si

fuera una jirafa o un macaco, a quien en su reino natal podía deca-
pitar por capricho, sin que en París ninguna esposa sostuviera siquiera
sobre su cabeza el parasol debido a la regia condición.

De pronto emerge una postal publicitaria que me maravilló en mi
infancia. Representa a un orondo bebedor que se lleva a los labios
una gran jarra cuya cerveza, al poner vertical la tarjeta, se derrama
de verdad en la boca que la espera, quedando la jarra vacía y transparente. El truco es bien sencillo: basta poner la tarjeta boca abajo
para que la finísima arena que simula ser cerveza, vuelva de la boca
a la jarra. La postal, confeccionada con dos cartulinas pegadas a cada
lado de un recio cartón presenta en éste un hueco oculto que recoge
la arena caída en la boca del bebedor desde la jarra, cuyo cristal se
simula con celofán en ambas cartulinas. Sonrío mientras, una y otra
vez, repito el juego y...

—Disfrutas como entonces —oigo pronunciar a mi espalda.

¡Su voz! ¡Inconfundible, pero imposible!

Incrédulo, miro atrás... ¡Es verdad: mamá me sonríe desde su
sillón!... En un impulso llego a ella y caigo de rodillas para abrazar-
la en su asiento, mi pecho contra el suyo, mis lágrimas en su mejilla,
mi cuerpo estremecido... De golpe me explico el cambio en el retrato: la anunciaba.

—¡Mamá, mamá! ¿Tú aquí?

—¿Dónde mejor? En nuestra casa; contigo.

—¿Cómo es posible?

—¿Por qué te sorprendes? —Me abraza—. Sigues siendo un niño.
¡Mi niñito!

Reanudamos el abrazo, oyéndonos latir los corazones. No es la
joven del retrato, pero sí la madre recordada. Viste una blusa blanca y pantalón verde; se decidió a usarlo cuando Schiaparelli empezó a lanzar la moda que popularizó Marlene. Mi bienestar de hoy

llega al éxtasis sintiéndome de rodillas entre sus muslos, en cualquiera de los cuales el niño que fui gozaba cabalgando mientras ella me cantaba el «arre caballito, vamos a Belén», golpeando su talón rítmicamente para imprimirme un diminuto galope. «¡Corre, mi jinete!» me animaba... Me fijo en otra cosa:

—Llevas tus zapatos de baile.

De raso, bordados, con tacón en forma de carrete.

—Los lucí en aquella función del teatro. ¿Recuerdas?

—¡*El rosal de las tres rosas*!, de Linares Rivas. Desde el palco en que yo estaba con papá resultabas una diosa.

Mamá ríe.

—Luego tú me los cogías para jugar, disfrazándote con unos trapos.

—Y tú te enfadabas porque era juego de niña. Y papá se reía y tú te indignabas aún más.

—Pues ya ves: los traigo porque te gustaban.

—¡Qué feliz soy!... ¿Sabes? Ya esperaba yo hoy algo especial pero no tanto. Porque me han pasado muchas cosas.

Mamá me mira incitándome a seguir.

—Primero fui al chequeo y, aunque yo estaba preocupado estos últimos días, el médico me encontró como siempre... A la salida, no sé cómo, el taxi me llevó a un parque nuevo, un lugar llamado Las Afueras. ¿Conoces?

—En él estamos.

—¡No me digas! ¿Abarca nuestra casa?... ¡Ya no me falta nada! Incluso aparecieron allí las postales, ya ves... Es verdad que a veces sentía, no sé, como si me faltase algo pendiente, pero ahora ya está resuelto: era tu venida.

—Eres tú quien ha venido —corrige ella suavemente.

—Da lo mismo, ya estamos juntos, como siempre... Y a papá ¿le ves?

—Claro; ya le verás, supongo.

—¿Y la tita Luisa? Ella coleccionó estas tarjetas ¿verdad?

—Sí, fue siempre el enlace entre todos nosotros ¡Éramos tantos, con mis hermanos y mi padre con frecuencia de viaje! En mi juventud la postal hacía furor, se usaba mucho.

—He visto varias de Biskra, del palmeral. Una con dos uled-nails danzarinas y cortesanas; otra de *gumiers*, soldados de la caballería indígena, ¡qué sé yo! Me encantaban de niño: había visto la película *Beau Geste* y jugábamos a aventuras en el desierto.

—Esas postales las mandaba tu tío Juan, que acabó allí su servicio militar... ¿Estás cómodo ahí en la alfombra?

—Estoy en la gloria, pero espera.

Me levanto y cojo de la mesa otras postales. Vuelvo a sentarme entre sus piernas, apoyando la espalda en el sillón. Entre tanto mamá ha encendido un cigarrillo y recuerdo que era su costumbre cuando disfrutaba de la vida. Sus zapatos me recuerdan cómo me gustaba de niño acercarme a ella gateando y meterme dentro de su bata, envuelto en su olor y la tibieza de su carne... Paso postales de una mano a otra, mientras la suya acaricia mi pelo.

—Mira lo que te escribía una tal Eliane en 1905 para felicitarte: «Espero, como Ana por la ventana de Barba Azul, que 1906 te traiga un buen novio y te conviertas en Madame lo que sea.» ¡Qué gracia!

—Era la meta de todas las chicas: el marido. Sólo que yo aspiraba a vivir mi propia vida, ya lo sabes.

Lo sé, pero no comento. Sus recuerdos no siempre eran felices.

—Hay muchas escritas por Susana.

—¡Ah, Susana! —suspira mamá.

La mano que me acaricia se crispa brevísimamente. Fue su gran amiga en Argel, su inseparable. Hasta que Susana se casó y mi abuelo se llevó a su familia a Melilla distanciándolas. Espero algo más, pero mamá guarda silencio.

–Mira, un bloc de doce postales, todas de Ras-Marif en 1925. Y ya estaba como yo lo conocí diez años después.

–¿Doce postales nada menos de aquel poblacho? ¿A quién pudo ocurrírsele, si no había nada notable? Las construcciones militares y tres docenas de casas.

En efecto, la primera postal, «Vista general del poblado», muestra una única calle sin pavimentar acabada en una playa al pie de un promontorio rocoso, en cuya cresta asoman los pequeños fortines de la posición militar y la casa del telégrafo que, mediante un cable submarino, comunicaba por morse con Melilla.

–Tienes razón, no había nada: por eso fue mi paraíso aquel verano… ¿Por qué no nos acompañaste cuando papá me llevó allí y me dejó con la tía Luisa durante mis vacaciones?

–No tenía buenos recuerdos.

Categórica, como siempre, pero no me convence. Mi Ras-Marif fue mi paraíso terrenal, donde tita Luisa fue Eva y aunque fuera sin manzana tanto mejor: claro que eso mamá no lo sabe. En cambio se da cuenta de mi reticencia y prosigue:

–Además, fuiste con papá y en aquellos tiempos ya convenía que alguien quedara en Madrid guardando la casa… ¡Y eso que aún no habían empezado a caer los obuses en la Gran Vía, como a los pocos meses, cuando uno mató a tu padre!… ¿Recuerdas que nos trajimos la cama grande a este cuarto porque la alcoba quedaba más expuesta a los bombardeos?

¡Turbadora experiencia la de dormir aquel primer invierno junto a un cálido cuerpo de mujer, aunque fuera el de mamá! Pero me aliviaba el miedo y calmaba el frío debido a la escasez de carbón.

–Eras ya el hombre de la casa.

No, no lo fui. Ni entonces ni nunca.

—No me ayudaba mucho a serlo el que me quitaras los pantalones largos que usaba desde marzo y me pusieras los cortos otra vez.

—¡Fue porque se hablaba de una movilización general y tú eras ya tan larguirucho que parecías mayor! Siempre para protegerte: para eso me apunté como obrera de guerra en talleres de confección... ¡Nunca sabrás todo lo que hice por tu bien!

Es muy verdad, y recordarlo me hace desearla más cerca todavía. Paso mis brazos bajo sus corvas y aprieto sus rodillas contra mis hombros. Recoge el mensaje y sus dedos oprimen cariñosamente mis sienes.

—Hubiera sido horrible que te llevaran al frente. Ya fue tremendo perder a tu padre, que había vuelto tan satisfecho de aquel congreso en Teherán. ¡Qué poco le duró su éxito!

Así fue. Papá parecía otro al regreso de la reunión internacional sobre el sufismo, en la que presentó una ponencia sobre «La unión mística en Rumí». Se mostraba dichoso, confiado; a ratos parecía un iluminado. Mamá se lo explicaba porque al fin le reconocían sus méritos y destacaba en un ambiente internacional, pero él ni lo mencionaba... Se ocupaba de mí con atención nueva y, sin yo comprenderle, algo me hizo entonces quererle más que nunca.

He seguido pasando postales en mis manos, mientras mamá sigue fumando, dando al aire el olor de entonces.

—Esto sí que es el desierto, estas dunas de Ain-Sefra. Enviadas por el tito Juan.

—Otro de los sitios donde hizo la mili. Por cierto, allí vio muchas veces a Isabelle Eberhardt.

—¿Tu heroína? —pregunto interesado.

Mamá me habló a veces de aquella mujer que adoptó el Islam y que, vestida de hombre, recorrió Argelia a caballo y se casó con un suboficial musulmán. Hablaba el ruso y otras lenguas, tenía admiradores de su literatura en París y en Argel, pero la gran mayoría no le perdonaba su feroz independencia y su desprecio de las convenciones.

—Sí, mi ídolo, mi modelo, tan fuerte como el hombre, libre hacia el futuro... Murió en Ain-Sefra: uno de esos rarísimos aguaceros en el desierto inundó el barranco a cuya orilla estaba su casa, arrastró tierras y se desplomó la vivienda. Entre los escombros la encontraron los soldados de su amigo el coronel Lyautey, que mandaba la plaza y luego fue el famoso mariscal.

—Tú también luchaste, mamá. Fuiste como ella.

—¡Qué más hubiera yo querido! El mundo estaba en contra de nosotras y sigue estando.

—Pero tú gobernabas tu vida.

Y las nuestras, pienso sin decirlo. En su retrato se ve: no nos necesitaba ni a papá ni a mí.

Me asombra respondiendo a mi pensamiento.

—Te equivocas. Incluso ahora te necesito tanto como tú a mí... No me juzgues sin saber, por favor.

Me conmueve ese «por favor», fórmula rara en sus labios.

—Pues aquí me tienes, mamá. Pero no imagino para qué. Nuestra vida ya está hecha.

—¿Tú crees? Para algo estaremos aquí.

La voz suena definitiva y el argumento me impresiona como una apertura, una esperanza. ¿Es que nuestra vida está aún por hacer? El instante se convierte en el más hermoso del día, pero pronto se disipa al darme cuenta de haberme quedado solo. No siento sus piernas a mi lado; estoy fuera de ellas, como recién nacido tras el parto... ¡Qué congoja! ¿Y ahora qué? No me atrevo a moverme, temo romper un sueño. Pero me reanimo: el encuentro fue real, huele a tabaco y sus zapatos siguen en el suelo, uno a cada lado, sólidos testimonios. Me pongo en pie, los elevo hasta mi pecho... Con el raso de uno de ellos acaricio mi mejilla y percibo la seda de su mano... ¿En qué relicario los guardaré dignamente? ¡Ah, claro, en el arcón de los recuerdos!

Aparece donde estuvo siempre, bajo la colchoneta que, cubierta por una alfombra, convierte el arcón en parte del diván de nuestro cuarto moruno. Dentro perduran los restos del pasado, arrojados a ese regolfo por el oleaje de los años. Encima de todo, justamente, el vestido de *crêpe de Chine* con cintura baja, a la moda de los años veinte, lucido por mamá con los zapatos que me ha dejado. Sigo curioseando, como si cada objeto fuese un conjuro para lograr otra visita materna: el abanico de plumas manejado en la misma ocasión, un sombrerito *cloche* con el que recuerdo a mamá en el parque, un corsé de raso ámbar con tirantes celestes para las medias, unos mitones y un álbum con recortes de prensa con el que concluye mi ojeo y que retengo para leerlo. Contiene artículos en francés y otros en el diario melillense *El telegrama del Rif* firmados por «Ariadna», seudónimo de mamá cuando intentaba destacar en literatura, animada por sus lecturas de Rachilde y por la popularidad entonces de Carmen de Burgos, que firmaba «Colombine»... Cierro el arcón dejando dentro los zapatos y el saloncito recupera su aspecto coloreado por los cristales de la lámpara de cobre recortado, cuya fragmentada luz alcanza al repostero moruno a lo largo de la pared, la gran bandeja repujada sobre un trípode para servir de mesita, el espejo y la gumía colgada bajo la repisa con perfumadores para el agua de azahar, cayendo la iluminación central sobre la alfombra de Rabat. Este cuarto interior, con sólo la lucerna alta siempre cerrada que da a la escalera, guarda como una cripta ese arca testimonial de una vida de mujer desafiante, heroína en su derrota como en las antiguas tragedias. Y se me ocurre que estoy aquí para abrir ese arcón, para encontrar a esa mujer.

Cruzo el pasillo hacia la habitación de enfrente, totalmente distinta por la claridad de su ventana a la calle lateral. Fue el despacho de papá y sigue como lo dejó, con el gran armario guardián no de recuerdos sino de sus muy leídas obras de los místicos musulmanes. Sobre la mesa sobreviven humildes objetos entrañables: sus lentes de pinza, la lupa para los manuscritos, el balancín para papel secante hoy ya en desuso... Es, como el cuarto moruno, otro lugar museo, pero no sólo contrasta con él en la claridad sino en contener la música: Junto a las lecturas espirituales están el canto y la danza. Sobre el piano partituras de clásicos fáciles y de música ligera que fue moderna hasta el año treinta y seis: desde canciones francesas fin de siglo hasta cuplés españoles, pasodobles, valses vieneses, chotis, fox-trots y otras creaciones. ¡Cómo cantaba tita Luisa los tangos, acompañada por papá, aquel mes que pasó con nosotros! ¡Con qué estilo se complementaban los dos! Yo no me cansaba de oírles pues heredé la afición de papá, muy bien dotado para la música aunque no pudo cultivarla como hubiese querido. Mamá, en cambio, concentraba su talento en las letras y, como las dos habitaciones eran tan representativas de uno y otra, el pasillo separaba los dos polos de un mismo eje. A un lado lo luminoso y la sumisión de los místicos, al otro el ímpetu oscuro de la libertad materna y su fuerza vital. Me asombra no haberme dado cuenta hasta hoy de esa oposición dinámica inserta en el corazón de este doméstico microcosmos donde fue formándose la persona que soy. Sin duda las sorpresas de este día me infunden una clarividencia singular, una lúcida sabiduría.

Mayor todavía de la que pienso, porque la conciencia de ese eje patri-materno me revela que estoy siguiendo otro al adentrarme hacia el fondo de la casa. Ahora el pasillo no es la frontera, sino un largo eje cuyos polos extremos son: hacia adelante la calle principal, el conjunto de alcoba y cuarto de estar, señoreado por el retrato materno; hacia atrás, las tres habitaciones con ventanas al patio interior: la cocina, el baño y el que fue mi primer dormitorio y estudio. Un polo se orienta a la ciudad, a lo público y convencional, mientras el otro conduce a un pozo cerrado, de ropas tendidas e intimidades a veces sorprendidas en ventanas traseras.

Entro en mi viejo cuarto, que abandoné al pasarme al de mamá, y lo encuentro como siempre. En la estantería mis primeras lecturas: tomos de la Biblioteca Oro con novelas de Sabatini y policiacas, *La isla del tesoro* con los admirables dibujos a pluma de Junceda, *Los tres mosqueteros* y sus continuaciones, *Ivanhoe*, *Las mil y una noches...* títulos que fueron mi delicia. Un lomo extraño me sorprende y lo retiro: es una edición libanesa bilingüe, en árabe y francés, adaptada como lectura juvenil del *Poema de Leyla y Majnun*, el famoso cantar amoroso, tan inmortal en el Islam como nuestro *Romeo y Julieta*. No recuerdo cómo habrá venido aquí este libro que no he usado nunca, pues cuando ahora cito el poema, recurro a una edición de El Cairo o a la traducción inglesa de la Unesco. Al abrir el libro cae sobre la mesa una postal que no recojo aún pues me sorprende más la dedicatoria en francés estampada sobre la primera hoja del volumen y fechada en 1936:

«Para mi joven amigo Mario pensando ya en su Leyla.»

Una caligrafía segura y una firma «F. Djalil», que no me dice nada. ¿Acaso un erudito corresponsal de papá, a quien éste diría que yo empezaba a estudiar árabe y nos envió el obsequio? Preguntaré a mamá.

En cuanto a la postal, me deja asombrado nada más mirarla, resultándome incomprensible su aparición dentro del libro porque es mucho más antigua, de 1907, y sobre todo por la imagen, que me conquista, pese a lo deficiente de las fotografías iluminadas de aquella época. Representa a una mujer de pie, medio de perfil, en la actitud más sencilla, el desnudo brazo caído a lo largo del costado y ceñida hasta los pies por una túnica celeste que moldea un cuerpo escultural. La pierna algo adelantada ensancha el largo corte lateral de la falda hasta casi la cadera y abre hacia arriba un estrecho triángulo apuntadísimo como una saeta, imán de mi mirada hacia la corva y el muslo, tanto más suculento y codiciable cuanto apenas mostrado. Y cuando esa mirada continúa por el marfil del brazo y llega arriba, se encuentra una cabeza de peinado recogido en los lados a lo Cleo de Merode, con facciones de una pureza casi infantil, tan delicada y exquisita que refuerza el deseo de ese cuerpo añadiéndole el ansia morbosa de incendiar también los labios vírgenes y los ojos inocentes. El colmo de la seducción me alcanza al leer al pie el nombre de la modelo: «Mademoiselle Liane de Pougy», una de las cortesanas galantes más en la cúspide del París 1900.

Aun así no logro explicarme la honda impresión sentida ante esa postal que no sé quién retiraría de entre las demás para dejarla, quizás como señal, entre las páginas de un libro tan ajeno a ella. ¿Fue acaso papá y a lo mejor utilizó la tarjeta más a mano para continuar una lectura que la muerte interrumpió? Pero él no leía de ese modo, ni usaría una edición juvenil del poema. No se explica esa Liane en este libro y algo se agita en mi memoria oscura, pero no cavilo más. Acabará revelándoseme su sentido, como en todo lo que me viene sucediendo.

En el patio están cerradas extrañamente todas las ventanas, como si enfrente no habitase nadie y, mirando a lo alto, percibo siempre la cúpula luminosa, ahora con un tono leonado. Tenía razón mamá, también aquí estoy dentro de Las Afueras, y no me asombro porque en ellas nada extraña; ni me asombro tampoco de no sentir sueño ni cansancio después de este larguísimo día quién sabe de cuántas horas con estos relojes en suspenso, incluso el del cuarto de estar, que papá siempre mantuvo en punto con el de la Puerta del Sol. Estoy tendido en mi vieja cama, con la cabecera del lecho justo al lado de la ventana, por la que penetra una creciente claridad, una luz inconfundible, única, como cuando el alba empezaba a lavar el tinte de la noche sobre mi paraíso infantil: la playa de Ras-Marif. Me levanto de golpe y salgo a la calle, donde la luz se va dorando hacia el mediodía como entonces y eso me hace sentir en camino seguro, aunque ignoro por dónde voy. Y así se confirma cuando, superado un cambio de rasante, me encuentro con el mar a la vista, y me afirmo en aquel mundo, húmedo, salado, vivo; mis ojos se llenan de azul infinito y de arena dorada; me siento renacer en mi playa sin huellas, virgen como el primer día de la creación. A mi espalda se alza el farallón de roca descendiendo hasta los escalones labrados a pico del embarcadero, al que a veces se acercan los delfines. Me siento en infinita libertad como entonces: allí la vida, en su cenit, hacía eterno cada instante y, como en aquellos atardeceres, retorno a mi refugio, la pequeña casita de tita Luisa y su madre en este Ras-Marif. ¿Encontraré a mi abuela en su sillón de mimbre, donde la confinaba su glaucoma ya casi ceguera? Chirría la puerta y penetro en la habitación central. Aquí convivíamos, en el comedor y las dos alcobitas adyacentes que, con la cocina y el patio, constituían la casa, cuyas gruesas paredes de tapial creaban bajo el sol una isla de frescor, con mi tía y yo como Adán y Eva en otro principio del mundo, pues la abuela apenas se hacía sentir. Tan principio que incluso era antes de la serpiente; yo un Adán turbado, pero inocente; sensualizado pero no carnal. Gozaban mis sentidos, no mi apetito, aún sin fijación concreta. Era sólo −¡pero nada menos!− el principio del principio: el deleite no tenía nombre aún.

Encuentro ahora vacío el sillón de la abuela, pero flotan en el aire aquellos olores: el del café fuerte de las mañanas para Luisa y para mí, el de la ensalada de pimientos y desde la despensa, al fondo, el acre picor del DDT que por las noches se esparcía en el umbral de la puerta para cerrar el acceso a los alacranes. Tita Luisa puede haber salido por un momento: quizás ha venido un chiquillo a decirle que Mohamdualik ha pescado corvina y la está vendiendo. La espero deleitándome en ese aire interior que nos unía tanto en aquel pequeño espacio, contacto para los cuerpos, vestidos mínimamente por el verano. Yo tan sólo un slip, pantalón corto, camisa por fuera y alpargatas; Luisa en zapatillas, una bata sin mangas −¡qué buen gusto siempre para el color y el dibujo!− y unas mínimas prendas interiores que yo conocía de verlas tendidas en el patio y a veces medio adivinadas sobre su cuerpo a través de las batas más finas. La convivencia nos hacía cruzarnos en aquel recinto como en un ballet, en torno a la mesa central, deparándome el goce de su olor a mujer y algún turbador choque accidental con su carne elástica y resistente. Recuerdo placeres especiales, como beber de su vaso un sorbo de la «palomita» que se preparaba como aperitivo a veces, con anís Machaquito en un vaso de agua. O la flor rubio-rojiza de sus axilas −¡qué ardiente imán para mis ojos!− cuando, subida en una silla, alzaba los brazos para bombear presión a la lámpara Petromax, nuestra luminaria nocturna.

Pero el momento glorioso, el del rito sagrado porque lo celebrábamos en la playa solitaria, bajo la inmensidad del cielo, era el baño al nacer el día. Lo practicábamos como un sano juego de risas y chapuzones, pero lo vivíamos como una liturgia sagrada en que el acólito investía a la diosa. A esa hora del alba el mar era una placa de estaño, apenas con un levísimo festón de espuma. En él se adentraba la mujer, única presencia vertical contra el horizonte, cubierto el cuerpo por el bañador negro con la faldita entonces obligada, blanquísimos los brazos y los muslos, piel de magnolia con transparencias de venitas azules y lunares dorados. A medio muslo el frío del agua nos detenía, tardábamos un poco en habituarnos, más bien como un respeto al mar recién salido de la noche, y luego ya jugábamos, nos perseguíamos, nos sorprendíamos en zambullidas... Mi olfato salía perdiendo, pero la visión y el tacto ganaban mientras el sol crecía rojísimo, nos envolvía en su dorada estela rayada, transmutaba el auroral estaño primero en mercurio, después en zafiro... A la salida del agua mi servicio consistía en recoger de la arena el albornoz y ayudarla a ponérselo y a secarse, abrazándola con fervorosa fruición, sintiendo revelarse entre mis brazos la sustancia constitutiva de la hembra. Era algo totalmente ajeno a la carne del pecado, condenada en los ejercicios espirituales del colegio, porque era la belleza de las diosas en museos, sólo que aventajándolas con la fuerza de su realidad: brazos delicados, dignidad carnal, muslos imponiendo belleza y poderío. Yo seguía viéndola así a lo largo del día, y no digamos de la noche... ¿Sospecharía ella aquel apasionamiento mío, todavía tan ingenuo pero ya tan anticipadamente encendido?

—¿Cómo no iba a sospecharlo? Yo nunca fui de piedra. Lo sabía tan bien que mi cuidado era salvar nuestras emociones, para que aquella naciente exasperación tuya, tan oscura y transparente, no se degradara en vulgaridades.

Me vuelvo al oírla. Sentada a mi lado, claro. Siempre su apacible hermosura, su olor limpio, sus ojos cariñosos: hada buena, manzana encendida. No me da tiempo a preguntarle sobre su aparición.

33

—¿Cómo no iba a estar contigo, si me estás buscando hace rato? En la playa, casi te sentí dispuesto a meterte en el agua.

—Nuestro baño, el comienzo del día... ¿Recuerdas? —Rio aunque mi voz sea melancolía.

—¿Cómo olvidarlo? —Tiembla la misma añoranza en su mirada. Y también ríe—. Mucho recordar, pero no me abrazas.

Es ella quien me envuelve en sus brazos, en su aroma, en su real carnalidad. Con su tiernísima sonrisa: la de contemplar a un niño que empieza a dar pasitos.

—Tu abrazo... Es el mismo.

—Y el tuyo, Marito. Me apretabas con tanto ímpetu...

—Te quería muchísimo, tita... Si yo hubiese sido mayor...

Se desprende de mí. Me mira al ver que no comprendo.

—¿Qué?... No digas desatinos.

—¡Pero nos entendíamos tan bien! ¡Éramos tal para cual!

—Para jugar en el mar, sí. Pero ahora no puedes equivocarte. Ya has pasado por lo que es emparejarse. Éramos iguales, del mismo género débil: Sumisos. Igual que tu padre, por eso me llevaba yo tan bien con él... sólo para hacer música, no para vivir juntos. Como tú y yo: ambos necesitamos el complementario, el dominante, el que nos hace darnos a él o a ella, entregarnos de pies y manos.

—¿Para ser felices?

—Felicidad... ¿qué es eso? ¡Para sentirnos vivos; lo importante! ¿O es que tampoco ahora comprendes algo tan fundamental? Entérate: entre dos siempre hay uno que besa y otro que pone la cara... Yo también hubiese querido aquí algo más: enseñarte aprendiendo yo, porque así debería ser toda iniciación sensata: no entre dos vírgenes, sino el iniciado pasando el mensaje al novicio... ¡Eras además tan tierno! Y hermoso: alguna noche te vi dormido desnudo bajo la luna entrando por tu ventana, la sábana rechazada en el sueño por el calor... La fábula de Psiquis y Cupido se cumplía... Pero yo te quería demasiado para desorientarte hacia el desencanto.

–¿Hermoso yo? Jamás se me hubiera ocurrido.

–¿Ves como tengo razón? –ríe–. Así es como eres.

Es verdad. Además, en su mirada está su lectura de mi pensamiento.

–¿Cómo sabes tanto, tita?

–¿Acaso me creías tonta por solterona, desterrada en este pozo? ¡Pero si la vida se manifiesta en todas partes, incluso aquí!

–Yo tardé mucho en ir sabiendo... Hube de pasar por una boda equivocada y aun así. Sólo ahora veo con otros ojos.

–Los hombres sois más torpes para estas cosas. Tuve pretendientes, pero no me valían.

–¿Es posible que no encontraras antes con quién casarte?

–Aquí puedo decírtelo, aquí se dice todo. Sólo tuve ganas de casarme con tu padre, pero tu madre se lo llevó: a ella le convenía y era la más fuerte. Ella lo supo siempre y, además, nos hizo un favor: no hubiera resultado bien.

–Lo que no comprendo entonces es tu boda, años después. Fue una gran sorpresa.

–Yo ya no lo esperaba en absoluto, pero entonces llegó quien llegó. Nadie lo comprendió. Tu madre me puso en guardia y todos los que me querían. No lo entendían, no cabía en sus cabezas o en sus sexos. Sólo mi hermano Juan me dio la razón, me apoyó.

–¿Cómo era él?

–¿Cómo decírtelo? Por fuera no entenderías. El advenimiento, el amo, mi destino. Un clamor de todo mi cuerpo y no vacilé un momento; no era decisión para pensarla. Volé a sus pies.

–Pero me han contado que te fue mal... Perdona si te lo digo.

–Perdón ¿por qué? Ya no estamos para andar con veladuras. Te lo contaron quienes no comprendían. Para ellos mi vida era una desgracia. ¡Cómo iban a saberlo si era mi vida y no la suya!... Volvería mil veces a hacer lo mismo.

Beso su mano. Me asalta una idea, sugerida por mi encuentro más reciente.

—¿Sabes? Ahora mamá te entendería mejor. La he visto; está cambiada. ¡Hasta en su retrato!

—No me extraña. Pero entonces ella no podía concebir mi verdad, aunque intelectualmente se diera cuenta. Por eso no vino con tu padre cuando él te trajo aquí; ella además odiaba este lugar, no lo resistió ni medio año... Hizo bien; en esta jaula no hubiera podido volar, ni siquiera desplegar sus alas. Pero cada una es como es: yo nunca me hubiera cambiado por ella...

—Qué curioso: dos hijas de los mismos padres, crecidas en el mismo ambiente, viviendo juntas y queriéndoos como os queríais, pero tan distintas... ¿Qué nos hace diferentes?

—Tantas cosas... La vida, que ensaya sus infinitas posibilidades, dice tu tío Juan. El caso es que ella huyó de este pozo. El que para ti fue paraíso.

—¿Por qué decidisteis venir aquí desde Argel?

—Mi padre buscando fortuna, como siempre desde que huyó del seminario oriolano donde le había metido su familia para favorecerle. Le habían fallado sus esperanzas puestas en ciertas minas de Argelia oriental y tuvo noticias de posibles yacimientos en el Marruecos español. Se empezó a hablar de futuras carreteras, explotaciones agrícolas y hasta un puerto en Ras-Marif para sacar el mineral, en cuanto las tropas españolas ocuparan el Rif oriental, entonces dominado por el Rogui, un pretendiente al trono del sultán. Mi hermano Juan decidió anticiparse a todos los europeos interesados en las minas y fingiéndose moro se adentró por el territorio del Rogui. Juan hablaba muy bien el árabe y le acompañaban dos prestigiosos amigos musulmanes.

—¡Me resulta increíble esa audacia del tío Juan! ¡Parecía siempre tan indiferente a todo!

—De joven era distinto, fue un aventurero y logró obtener del Rogui un decreto que nos otorgaba la explotación y que decidió a mi padre a establecerse aquí con un comercio y unos terrenos. Pero el Rogui al fin fue vencido por el sultán y nuestros sueños se desvanecieron. Mi padre murió de tristeza al poco tiempo.

Adivino el drama familiar y me quedo pensativo, tratando de comprender a ese nuevo tito Juan. Me vuelvo hacia mi tía con otras preguntas, pero ya no está a mi lado.

Vuelve a chirriar la puertecita cuando salgo. Camino por la calle de tierra, junto a las matas intensamente verdes de dientes de león que rodean la fuente pública, decorada con azulejos en lacerías al estilo árabe. En esa hierba de apretadas hojas grasas encontraba yo a veces algún grotesco camaleón, viéndole cambiar de tonalidad y moverse lentamente. Como yo me muevo ahora, saliendo cuesta arriba hacia los fortines y el cuartelillo de la policía indígena: refrenado por mis cavilaciones.

Desde ese terreno algo más elevado me vuelvo a mirar el poblado, polvoriento, imperturbable. Sobre él y más allá, el mar y el cielo, comparables en su magnificencia. Por un momento evoco nuestros baños al amanecer, mis correrías por la playa infinita, las tardes tranquilas de pesca en las rocas bajas del promontorio, pero es como recordar ciudades muertas. Mi paraíso era yo: era mi infancia y se fue para siempre con mi inocencia. Para Luisa, Ras-Marif era un destierro; cadena perpetua. Veo ahora el poblado tal como aparece en el álbum de postales: puñado de casuchas, calles vacías, aire polvoriento, ceniza de sueños frustrados. Ahora descubro en ese marco lo entonces oculto: un tío Juan intrépido, arriesgándose disfrazado por tierras rebeldes hasta la mismísima corte del pretendiente al trono del Imperio Marroquí: jamás lo hubiera yo sospechado en aquel hombre tranquilo, siempre imperturbable entregado al destino con talante musulmán.

Me intriga también Luisa, otro descubrimiento. No era de piedra, me ha dicho, pero refrenó nuestros juegos. ¿Cómo sería su hombre, «el amo, el destino»? Trato de imaginármelo, pero mamá me lo impide: cuando volvió de Argelia, de enterrar a su hermana, sus escasas referencias al que había sido su cuñado —evitaba hablar de él— no podían ser más negativas. Evidentemente, mamá no comprendía a su hermana. Sin duda a mí tampoco, aunque me adorase, aunque yo la adorase todavía más. Pero me quería distinto de como yo era... Somos complicados y aún más: nos complicamos. Nos creamos angustias. ¿Qué nos hace lo que somos? ¿La biología, dándonos unas tendencias innatas? ¿Las madres? ¿La sociedad? ¿La vida misma con todas sus circunstancias? ¡Y cuánto juega el azar, cuánto peso tiene a veces un pequeño acontecimiento! Como en las divisorias de los ríos: entre las cumbres de una serranía brota un manantial, en su comienzo es fácilmente orientable: un peñasco rodante puede desviar el hilo de agua desde una vertiente a otra y el Tajo nacido hacia el Atlántico se convierte en el Júcar, rumbo al Mediterráneo... Si Luisa no se hubiese refrenado, si hubiese satisfecho mi deseo, ¿hubiera sido mi vida diferente?

—¿Cómo saberlo? Empezabas apenas a vivir y aún tenían que pasarte muchas cosas.

Me vuelvo hacia esa voz y abrazo entusiasmado a mi tío Juan, surgido a mi lado. ¡Qué entrañable seguridad me infunde su presen-

cia! Alto, delgado, vestido como siempre con un guardapolvo parecido a una chilaba, babuchas morunas, rostro delicado, bigote blanco sobre los labios finos, un multicolor gorro de punto indígena protegiéndole la calva contra las moscas, un paipai en su mano derecha...
Y sobre todo, la tranquila mirada de bondad, sus ojos claros color
avellana, risueños y comprensivos.

—¡Tito! ¡Qué alegría! ¡Y yo pensando si podría verte!

—Por eso estoy aquí... ¿Contento?

—¡Muchísimo!... ¡Tenía unas ganas desde que he descubierto tu
vida aventurera!... ¡Tienes que contarme muchas cosas! No sólo de
tu visita al Rogui, también de tita Luisa.

—¡Ah, mi visita a aquel bribón! Un riesgo, sí, pero el resultado fue
inesperado: mi camino de Damasco... En cuanto a mi hermana Luisa, ¡cómo te adoraba! Quizás no lo sepas, pero cuando se marchó
de aquí para su boda se llevó cosas personales tuyas. Tu sombrero de
tela, de legionario. ¡Y aquel alambre doblado con el que impulsabas
tu aro correteando por la playa!

Una ola de emoción me anega en ternura.

—Tú aprobaste su boda; me lo ha dicho.

—Sí, era su vida. Fui su cómplice; la ayudé.

—¿No era un riesgo lanzarla a lo desconocido? Aquí al menos
tenía su vida asegurada.

—Su vida no; sólo su existencia. La vida es mucho más. Para un
niño, como tú entonces, Ras-Marif podía ser un paraíso, pero para
ella era una cárcel. Y decidió vivir.

—Según supe, acabó mal.

—Acabó a su gusto, aunque casi nadie la comprendiera. Yo sí, y
estoy orgulloso: la ayudé a hacerse su nido como ella quería, con
espinas. Luisa era de las personas que sólo pueden recibir entregándose, y eso no se entiende porque no se respeta a quienes rechazan

el vivir convencional... Tú sí, siento que empiezas a comprender a los disidentes y me alegro por ti.

Es verdad: este tito Juan que estoy descubriendo ve muy claro dentro de mí. ¿Era ya así entonces y yo no estaba a su altura o maduró después? En lo alto hay una luz de aurora: ¿significa que hay esperanza? Pero me ha intrigado su alusión a su camino de Damasco, su transformación en busca del Rogui.

—No sé nada del Rogui. ¿Quién era?

—Era un jefe de tribus ambicioso que se pretendía hermano del sultán y con más derechos. Le seguían muchas cabilas y había organizado una corte en Taza, con bandera propia de color verde y ocho medias lunas, apareciendo siempre en público bajo un quitasol imperial. Se imponía por su astucia y su ingenio: era un histrión. Sus seguidores le atribuían actos casi milagrosos, como hacer hablar a un muerto; sus enemigos afirmaban que fue un cadáver fingido, y que tras su actuación el Rogui lo mandó matar para guardar el secreto... Durante años derrotó a las tropas imperiales, pero al final fue vencido y llevado cautivo a Fez con sus soldados. Éstos fueron obligados a desfilar encadenados de dos en dos y, al día siguiente, se repitió el desfile pero sólo de la mitad, llevando cada uno en sus manos la cabeza del que había sido su compañero de grilletes la víspera. Al Rogui lo pasearon diariamente por la ciudad en una jaula para escarnio público hasta que acabaron matándole... Ése fue el final de su aventura, pero no para mí porque mi viaje fue un comienzo. La contemplación de aquel mundo medieval, con la serenidad cotidiana del pueblo marroquí, me depuró de tantas quimeras sin fuerza real que hasta entonces me habían parecido importantes. Empecé a comprender que la vida no habla ni se confunde con palabras; lo que hace es crear y destruir a la vez. No sólo reproducirse, porque varía al recrear y así progresa. ¿Sabes que los locos inofensivos en el Islam son sagrados? Vivir es respirar y disfrutarlo, como oía repetir ante cualquier problema: «Si tiene solución ¿por qué te preocupas? Y si no la tiene ¿por qué te preocupas?» Desde entonces mi maestro supremo es Omar Khayam, el poeta, el del *roba'i* de la lámpara.

—A ése sí le he leído, tito; te comprendo.

—Me alegro. Pero tuve otros maestros: algunos de los castigados por delincuentes en el batallón disciplinario donde yo servía en Ain-Sefra: sabían de la vida lo que ignoran los jueces y los sabios. ¡Ah, y una mujer asombrosa que allí conocí y cuyo cadáver me tocó recoger, con otros compañeros, entre las ruinas y el barro de una inundación: Isabelle Eberhardt, ya lo sabes!

—La admiración de mamá.

—Sí, mi hermana admiraba su libertad para escribir, pero a mí me deslumbraba su propia vida. «Una rebelde tan libre como un pájaro», afirmó en su entierro el famoso Lyautey. Había que verla a caballo; a veces nos adelantaba al galope cuando salíamos en formación. Era más que una amazona, como la llamaban; era una centaura: se fundía con el caballo, formaban un solo ser. La unía a su montura un vínculo sexual, seguro; inconcebible que un hombre sienta lo mismo con un cuerpo entre sus muslos abiertos. Parecía imposible que existiese ninguna igual, pero tiempo después, trasladado a Fort-National, supe que Isabelle había vivido antes allí, admirada y protegida por el famoso jeque Si Mojtar, a cuya hija enseñó a cabalgar. A ésta la vi más de una vez lanzarse a galope monte abajo por un derrumbadero imposible... ¿Sabes? Si tu madre hubiese montado así a caballo hubiera sido más feliz. Pero daba más importancia a dominar con las riendas que a gozar en el galope con un animal entre las piernas.

Parece darse cuenta de que no está solo y de que tiene un oyente.

—Perdona: no la critico. Yo la quería y la admiraba; su fuerza y su tesón luchando por sus ideas. Pero en aquel mundo nuestro no podía triunfar... Menos mal que te tenía a ti.

Mi réplica me estalla en lo más hondo:

—¡No, no me tenía! ¡Fue mi mayor deseo toda mi vida: que me hiciera suyo; de verdad! ¡Pero nunca se me abrió del todo; nunca me sentí en su seno!

—Te equivocas. Eres injusto; ignoras cuánto significó para ella tu nacimiento. Tenía ya problemas entonces con tu padre, aunque él era buenísimo: no se entendían. Si tú hubieses sido niña, quizás tu madre se habría separado, pero con su varoncito la vimos feliz. «¡Él será mi hombre!», repetía, «¡yo haré que lo sea!».

Me apena descubrir esos malentendidos entre mis padres.

—No lo consiguió. No lo fui; me lo reprochó siempre.

—¿Reprocharte? ¡Qué error! Fuiste como podías: no te ofreció la vida entonces el modelo viril indispensable y no podías inventártelo tan niño. Por eso el desencuentro. Tu madre y tú cruzándoos en la noche y ciegos uno para el otro por el ansia misma de encontraros... No te reproches no haber sido a su manera; al contrario. Hazte ahora a la tuya, puesto que empiezas a comprender... Ya te lo he dicho.

—¿Hacerme lo que nunca fui capaz de ser? ¡Qué fácil es decirlo! —reprocho con amargura, porque eso es toda mi historia—. Necesitaría un guía, y ese maestro ¿dónde está?

No me contesta, sólo me ofrece una sonrisa de Buda iluminado ante la que, por un momento, concibo la fantástica esperanza de que él pueda serlo. Pero esa sonrisa irradia y se difunde, borrando los contornos, hasta dejarme sin la presencia de mi tío.

Me envuelve un vacío, pero me llena su ausencia. Por segunda vez se me desvanece mi guía. Pero su visión me ha abierto perspectivas: mis padres sin entenderse, mamá forzándome a hacerme el triunfador que ella quiso ser y yo imitando lo que ella era, creyendo así acercarme más. ¡Imposible encuentro!... Su fracaso culminó en mi boda, de la que ella esperó mi madurez y que puso su error en evidencia. Al menos para mí ese desastre fue una liberación, como lo fue para tito Juan la nulidad de las concesiones mineras del Rogui. Cuando yo empecé a saber de los amantes de mi mujer los cuernos me importaron bien poco; sólo me contrariaba el comadreo y el menosprecio burlón de la gente, pero a cambio quedaba eximido de la forzosa obligación, del «débito carnal» como dicen los curas tan obscenamente... Fue una liberación; mi tío lo hubiera comprendido sin reservas.

¡Ese tintineo, el ruido más alegre de todos los que produce la calle! El timbre del tranvía, y precisamente del mío, el 3, circulando hasta Sol por Serrano, cruzando López de Hoyos, demostrando que en estas Afueras tan mágicas todo es posible... Modera la velocidad en esa curva y como es tranvía de plataformas abiertas me subo en marcha, tan ágil como siempre, gracias a la levedad de mi bienestar actual. Había verdaderos artistas en subir y bajar en marcha; sobre todo en dejarse caer así, con el cuerpo inclinado hacia atrás, para que la inercia de la velocidad adquirida en el vehículo les llevase a la vertical. Abro la puerta corrediza y paso al interior, acomodándome sobre el asiento de rafia trenzada, todo corrido a lo largo, a cada lado del vehículo. Entre los dos asientos pasa, como entonces, el cobrador que, en vez de vender billetes, nos va dando a cada viajero un ticket. Al mirar el número, me siento feliz porque es capicúa, cosa nada fácil con cinco cifras, y que no me ocurrió nunca en mi vida. Pero como los demás viajeros sonríen al recibir el papelito comprendo que todos somos capicúas. Bueno, eso no anula nuestra buena suerte por disfrutar de este Centro multiuso tan bien organizado.

Justo enfrente me encanta ver a una aprendiza que va a «entregar»; personaje y encargo hace tiempo desaparecidos de las calles. Una modistilla que sobre sus rodillas sostiene la alargada caja de una casa de modas con algún vestido; una elegante «toilette», según el vocabulario de Magda Donato escribiendo sobre modas en *Blanco y Negro*. Bajo la caja, de chapa de madera, con su correa para llevar al brazo, asoma el borde de la falda de la muchacha y sus pantorrillas, con medias baratas y zapatos deslucidos pero de tobillos finos y pies pequeños. Posadas sobre la caja las manos son delicadas, el busto es aún adolescente, y el rostro se mantiene serio pero los ojos chispean risueños. La califico mentalmente con un adjetivo olvidado —«pizpireta»— en el preciso instante en que una cerrada curva hace chirriar al coche contra los raíles y me tumba contra la viajera de mi izquierda, que me mira disgustada... «Tin-tin-tin» canta el tranvía divirtiéndose.

Rodamos por una calle no muy ancha, de casas antiguas, con acacias en las aceras. ¡Acacias otra vez! ¡Árboles apropiados para aquellas modistillas y aquel Madrid ramoniano, por sus hojitas finas, su verdor delicado, su fragancia primaveral y la nieve de sus flores blanqueando el pavimento al apretar el calor! Árboles también para plazuelas recoletas donde al atardecer, saliendo del colegio de una doña Matilde o doña Clementina, juegan niñas a la comba y cantan lo que ya no se canta. Una plazuela como esta que estamos cruzando y cuyo encanto me retiene. Me pongo en pie de un salto, doy un tirón a la cuerda que cuelga horizontal todo a lo largo del coche y hago sonar la campana de parada. Pero no aguardo: salgo a la plataforma y me dejo caer en un salto perfecto —estoy en forma—, mientras el tranvía dobla la esquina despidiéndose con su «tin-tin» cascabelero. Me encuentro en mi plazuela del Reloj; no porque hubiese alguno a la vista sino porque existió uno de sol en la fachada del convento de agustinas recoletas, derribado durante la Primera República. Me siento en un banco sintiéndome como en la cima de mí mismo, en una esfera cristalina, purísima, de una absoluta y deslumbrante blancura. Me contemplo asombrado: ¿Es posible sentirse así, Dios mío?

—¿Por qué no va a ser posible?

Una voz educada, neutra y a la vez penetrante. Me vuelvo hacia el personaje que, sin yo advertirlo, se ha sentado junto a mí. Aspecto de señor bondadoso, pero no blando, actitud de haber vivido y estar de vuelta, aire reposado pero ojos sabios y muy vivos. Su traje más bien convencional, con corbata muy discreta, de quien no se cuida de eso y se limita a no llamar la atención.

—¿Decía usted?

—He contestado a tu pregunta. No tiene nada de imposible que un hombre consiga elevarse a lo más alto de sí mismo, aunque reconozco que muy pocos lo intentan y la gran masa ni sospecha poseer esa cima.

—Pero ¿usted...?

—No. He venido porque me has llamado.

—¿Yo?

—Has dicho «dios mío»... Yo soy ese dios y aquí estoy.

Le miro atónito, disimulando mi cautela.

—No me mires así, no soy un loco: soy dios. El tuyo, por supuesto; tu dios, sin mayúscula. Por eso me presento como me ves, según tu estilo. Si yo fuese el Dios oficial no me verías o, si acaso, me aparecería en la forma convencional: colocado entre nubes, con un triángulo detrás de la cabeza y larga barba blanca... No, yo soy tu dios. Has logrado al fin comprender mi esencia y aquí me tienes. No me decepciones, no vayas ahora a pensar que soy un loco ni se te ocurra arrodillarte. ¿Acaso no descubriste hace tiempo que dios es un invento de los hombres?

—Pues sí. Llegué a esa conclusión porque ningún dios de ninguna mitología conocida me resultaba aceptable.

—¡Condenadas mitologías! Me han atribuido las formas y naturalezas más inverosímiles y ante todas ellas se han prosternado los hombres adorándome. He sido cocodrilo, volcán, serpiente, río, cóndor, trueno y hasta transformista. Tan pronto me tenía que convertir en águila para gozar de un muchachito (cosa que muchos hombres lograban sin problemas) como volverme toro, cisne o lluvia de oro para poseer a una joven... ¡Qué trabajos! Y no quiero acordarme de tener que dejarme crucificar, descuartizar, castrar o cosas semejantes... Por eso me siento tan a gusto contigo. ¿Cómo me descubriste?

—Me lo hicieron ver tus injusticias y tus contradicciones, con perdón. Si habías creado a los hombres y te habíamos salido tan defectuosos no tenías derecho a castigarles: la culpa era tuya.

Mi dios, a quien ya siento cosa mía y mi amigo, ríe divertido y se pasa a jugar a abogado del diablo; es decir de Dios.

—Pero ¿no te justificaron el castigo como pago de vuestros pecados, cuya gravedad era infinita puesto que yo soy infinito?

—¿Cómo iba yo a creer en el pecado, una idea tan hija del orgullo? No ofende quien quiere, sino quien puede, repetía mi abuela. Si Dios es creador del Universo entero, ¿puede sentirse ofendido por una sabandija que le salió mal y que araña la superficie de un pequeño planeta? Hace falta tener una exageradísima idea de lo que es el hombre para creerle capaz de ofender a un infinito creador.

—Tienes razón. Pero no olvides que el dios de las mitologías es una creencia valiosa para muchos desgraciados ansiosos de esperanzas. Por eso está presente, con variantes, en todas las culturas, lo cual no prueba —como se dice— la existencia de dios, sino la ventaja de inventarlo, a falta de algo mejor, ofreciendo otra vida cuyo acceso administran los que se erigen en intérpretes y administradores de la divinidad. Así surgieron Marduk, Allah, Ra, Odín, Jehová y todos los demás.

—Pero yo no necesito esas respuestas míticas; no me hace falta inventarte. ¿Cómo estás conmigo?

—No estoy contigo: Soy tú mismo. ¿No estabas hace un momento animado por un impulso vital incontenible en la cima de ti mismo? Eres vida mortal —nada más y nada menos—, una vida valiosa porque eres único. Cada ser es un experimento distinto de la Vida global, que ensaya mil variantes en su progresiva evolución; tu existencia es tu contribución a esos ensayos. No somos hijos de dios sino hijos de la Vida; cada uno es una chispa del gran Todo; de la llamarada inmensa y perpetua que es la Energía Cósmica. Pero a lo largo de la evolución en el nivel humano la Vida ha creado la Conciencia y en ella tu anhelo hacia delante. Esa conciencia tuya es lo más avanzado en ti, te sitúa en la frontera más adelantada de la evolución global. Y esa conciencia, esa vanguardia en ti soy yo... Cuando algo te exalta como hace un momento, o ante una hermosura o un descubrimiento, entonces me encuentras, me manifiesto en ti, accedes a lo más alto... Llámame tu espíritu, si lo prefieres; el nombre me da lo mismo. Lo importante es que estoy en ti: soy lo más vital, lo más ardiente de ti. Tu parte de energía cósmica, de creación en marcha.

Oyéndole se acelera mi sangre, adquiero conciencia de la fuerza que nos mueve, el incesante río de las galaxias y los átomos... Ahora siento posible reconstruirme, según me animaba tito Juan. No buscaré un guía, llegará si es preciso. La revelación de mi dios por vez primera significa que he llegado al umbral de mi nueva vida, la propia y no la que fui obligado a vivir. Tenía que ocurrirme aquí, a eso vine sin duda: por eso mi bienestar, la seguridad adquirida desde que llegué a estas Afueras ajenas al mundo convencional. Aquí me espera lo que aún me falta sin yo saberlo.

Lo que no sospechaba en mi paseo era el destino que me aguardaba, nada menos que en la Cafetería Veracruz; no tenía idea de que se hallase tan cerca de la plaza del Reloj. Me enternece traspasar de nuevo esa puerta, ver a Chelo en la barra. La saludo y me dirijo a mi mesita en el rincón, bajo la claraboya. A esta hora, sea cual sea, no hay apenas clientes y la ayudante de Chelo aprovecha para dar un repaso al local limpiando mesas. Chelo la deja en la barra y se sienta conmigo un momento. Le encanta, dice, volver a verme; aquellos tiempos de entonces fueron los mejores de su vida. La recibo con una alegría que ella agradece, por sentirla muy verdadera.

—¿Y cómo va lo tuyo? ¿Sabes ya a lo que vienes?

El tono puede parecer algo burlón, pero por debajo detecto un auténtico interés.

—Todavía no, pero asoma una luz lejana… He tenido encuentros inesperados y muy prometedores, pues me revelan mi otra historia.

—También me has encontrado a mí.

—Es verdad, y este lugar, siempre recordado… El ambiente era agradable, y tú sobre todo. Tan atractiva y tan simpática.

—¿Yo? ¿Y has esperado hasta hoy para decírmelo? —Finge enfado—. ¡Pero si no me hacías ningún caso, hombre!

Apura el vaso de blanco que ella misma se sirvió al traer el mío y lo deja en la mesa con fuerza.

—Pues mira, yo también te lo voy a decir ahora. Me gustabas mucho; en cuanto me hubieras dicho algo me hubiera acostado contigo, pero tú «en jamás».

La miro asombrado. ¡Y pensar que no supe darme cuenta! Mi disculpa es torpe:

—Mejor fue así. Yo te hubiera decepcionado.

Lo digo tan desde adentro que su mano oprime cariñosa la mía.

—¿Tú qué sabes? Por aquí pasan muchos hombres y se les cala enseguida. A ti también. Yo ya sabía que no eras un picador; no había más que verte en este ambiente, siempre como encogido; pero eso mismo valía por lo raro. ¿Es que no es nada la ternura? Y más si supone una novedad… ¿Por qué eras tan dulce? Y veo que lo sigues siendo… Pero ahora ya… Las cosas tienen su momento y se pasan. Como la vida… Perdona, ahora vuelvo. Esa emisión deportiva es una lata.

Mientras ella busca una emisora con música en los mandos de la Telefunken instalada entre las botellas tras la barra, pienso con emoción en lo que pudo haber sido, pero sin lamentarlo, porque a donde la vida me traía era aquí; cada suceso me confirma en ello. Como acabo de decirle a Chelo, aún no sé bien a qué he venido, pero tengo la certeza de que es algo vital, irrenunciable, la culminación de mi ser. No estoy acabado, sino empezando; mi vida hasta ahora fue un prólogo, y todas estas gentes y este Centro colaboran en mi construcción.

La música encontrada me conmueve: la banda sonora de la película *Vuelan mis canciones*. No hace tanto tiempo que la estrenaron y la he visto cuatro o cinco veces; en parte por el argumento basado en el enamoramiento de Schubert por la condesita Esterhazy, en parte por la selección musical. Lo que ahora se oye no es precisamente de Schubert sino del arreglador para el cine, Willy Schmidt-Gentner, que compuso estas csardas para una secuencia en la que, algo embriagados y libres de inhibiciones y diferencias de clase, Martha Eggerth baila para su profesor de música y, al girar sobre sí misma, eleva el borde de sus faldas de campesina y deja ver el comienzo de sus muslos: tercer fuerte motivo de mi adicción a la película... Me regodeo escuchando y revivo mis emociones en la oscuridad ante la pantalla.

La música concluye. Ahora la radio ofrece un pasodoble muy de actualidad, el dedicado a Marcial Lalanda. De todos modos, la coincidencia de la música del filme con mi estado de ánimo y mis cavilaciones actuales no es casualidad; aquí nada lo es. Ni tampoco lo es lo inesperado: ese arranque con que Chelo vuelve precipitada a mi mesa y exclama:

—¡Qué cabeza la mía. Se me olvidaba lo principal, lo que venía a decirte cuando me senté contigo! Mira, el otro día preguntó por ti una señora... ¡Una de mucho estilo, qué callado te lo tienes!

—¿Una señora? No imagino.

—Pues te conoce. Fue la que encontró el paquete que olvidaste en el mostrador. Te lo dio el botones ¿recuerdas?... Ella lo encontró y conmigo lo abrió por si aparecía el nombre del dueño. Eran postales viejas de no sé dónde, pero ella reconoció algunas: como si fueran suyas, chico.

—¡Qué lástima no haberla visto!

—Ella tenía prisa. Pero dejó este papel, para que te lo diéramos si volvías. Dijo además que vendrá otro día.

Me entrega una servilleta del bar, donde leo algo escrito con una letra excelente y rotulador fino:

«¿Sería usted el joven Majnun que visitó Toledo en 1935? F. Khadir.»

La firma no me dice nada. Y sin embargo...

Un alboroto en mi mente, una explosión sísmica de mi memoria oscura. Esas palabras de quien sea resucitan a aquel Majnun y aquel Toledo, además de revelarme la procedencia de la edición libanesa del poema árabe hallado en mi cuarto e incluso la presencia entre sus páginas de la postal de Liane de Pougy. Pero ¿cómo lo sabe la firmante? Ella, la de Toledo, se llamaba Farida, sí, con F, ¿cómo no recordarlo?, pero no Khadir... Tengo que encontrar a esa persona: es una inmensa ventana al pasado, a mí mismo, a lo que sin duda me ha traído aquí.

Ciertamente nada vital se pierde, todo lo que importa retorna, recae en nosotros. Me embriaga una ilusión esperanzada. Salgo de la cafetería confortado, después de dejar a Chelo mi dirección y pedirle su ayuda para encontrar a quien me ha encontrado. Ahora estoy convencido de haber acudido aquí por una atracción vital: ya he recuperado a mamá y a mi gente, la verdadera, la que no conocí. Si Khadir es quien creo, quien ya espero, se ilumina un comienzo.

Contemplo unas cuantas postales, esparcidas sobre mi mesa camilla, con ojos que nunca tuve antes para ellas. Ya no son únicamente curiosidades añejas, ni datos familiares en los textos al dorso. Ahora son mi más importante hallazgo en este Centro, como un tesoro oculto que me estuviera esperando. Justifican mi estancia aquí, respaldan la dirección que di al taxista para venir o el error que cometí al hablarle (qué importa lo uno o lo otro) cuando me aguardaba en estos cartones algo tan personal como mi destino. Ahora no son sólo huellas del pasado, sino nueva ruta al futuro, catalizadores de lo que me espera, puesto que les debo una próxima reunión con... ¿quién?

No se aparta de mi mente la obsesión por identificar a la mujer misteriosa que las descubrió. La «F» señala a Farida y, por otra parte, ¿qué otra persona puede ser? Pero ese extraño apellido, nunca antes oído por mí, ese «Khadir», me desconcierta. ¡Ah, si resultara ser Farida! La conocí en 1935, sin haberla vuelto a encontrar y sin más contactos desde entonces que unas cuantas cartas interrumpidas por nuestra guerra y, después, por la Guerra Mundial. Casi sesenta años desde aquellos tres únicos encuentros, concentrados en una semana. Primero una visita que ella hizo a mi casa con su marido; dos días después una excursión de varias horas en que acompañé a Toledo a papá y al matrimonio y por último, al día siguiente, una visita a ella en su habitación del hotel Palace: menos de media hora inolvidable. Paradójicamente, los tres encuentros dejaron una impresión tan profunda en el muchacho de trece años, que la memoria cotidiana se negó a soportar el obsesivo recuerdo, y lo trasladó a la memoria oscura, la soterrada, la que almacenamos sin saberlo hasta que, como ahora, emerge explosivamente el oculto pasado.

Contemplo reverente las postales como se manejan objetos sagrados, o con la precaución para tratar a los muy peligrosos, porque al dar la vuelta a mi memoria, al ser los catalizadores de este distinto presente, se muestran ellas también con otra luz. Repaso algunas al azar: postales escritas por mi abuelo desde lugares insignificantes de la Argelia rural; alguna desde el París anterior a 1914, otras de paisajes o ramos de flores enviadas a mamá y a su hermana Luisa por pretendientes efímeros… Me pregunto cuáles tendría ante sus ojos mi desconocida F. Khadir para reconocerlas cuando las examinó con Chelo; probablemente fotos de Orán o Argel o, quizás, de algún rincón rural si, como sugiere el apellido Khadir, se trata de una musulmana. Al no poder saberlo me aferro al dato seguro: 1935, aquel Toledo.

Cierro los ojos, revivo aquella primavera de la excursión evocada. Los campos estaban verdes, abril había sido lluvioso. Aún recuerdo aquella mojada segunda Feria del Libro en el paseo de Recoletos. Del olvido emerge aquel día, vivido tan ávidamente, en parte absorbiéndolo yo sin darme apenas cuenta, lo que no impedía que se me grabase a fuego. Dos días antes un matrimonio de paso por Madrid había visitado mi casa: él era un profesor argelino de barba venerable (para mí la cincuentena era entonces la vejez), profesor de universidad en correspondencia científica con papá; ella una mujer joven cuya sencilla naturalidad tardé en apreciar por mi deslumbramiento ante sus rasgos exóticos; ojos entre grises y azules, inesperados en su rostro beréber, pómulos altos, altivo andar y, sobre todo, el pequeño tatuaje azul en forma de aspa, visible en su mentón. Fue una visita breve, conmigo embobado ante aquella mujer tan diferente, procurando seguir la conversación adulta con mi mediano francés, adoptado por no hablar español el marido. Allí se decidió la excursión a Toledo, a la que mamá hubo de renunciar a última hora por una de sus violentas jaquecas.

¡Cuántos instantes toledanos me asaltan, empezando por el delicioso aislamiento en el asiento trasero del coche alquilado, donde nos sentamos ella y yo! Allí empecé a tratar atrevidamente de ser su guía, con mi mal francés de entonces que a veces ella necesitaba adivinar entre risas. Luego, aparcado el coche en Zocodover, el vagabundeo callejero, las tiendecitas provincianas, los mazapanes y los espaderos, pasar de una acera en sombra a otra, envidiar a papá porque regalaba a la dama un abanico que yo hubiera querido ofrecerle... Yo me desvivía por parecer mayor de lo que sugería mi pantalón corto a mis trece años, maldiciendo al destino que podía haber adelantado la entrega de mi primer traje largo, ya probado por el sastre... Así como ahora estoy en vilo por saber de Khadir, así lo estuve aquel día: por momentos me sentía infantil, aprovechándome de las cariñosas atenciones femeninas, casi mimos, impensables si yo hubiera sido mayor, mientras otros ratos me estiraba imaginariamente como si me pusiera de puntillas para elevarme hasta su madurez, utilizando mi poco saber histórico frente a los monumentos, multiplicando citas fáciles, tratando temas como los toros —en los que su ignorancia me permitía fantasear conocimientos— o el cine, que a ella también le interesaba… Y aunque Farida —me ordenó llamarla así— me trataba desde la altura de su edad y estado, yo paladeaba el triunfo de que ella no parecía lamentar el distanciamiento de los dos profesores acompañantes respecto de nuestra pareja de curiosos divertidos… La cima de la mañana la alcancé en la oscura caverna de la iglesia de Santo Tomé, donde sólo resplandecía el iluminado *Entierro del Conde de Orgaz*: sentados ambos en un banco frente al cuadro, su emoción ante la grandeza milagrosa de El Greco me favoreció con el escalofrío de sentir por un momento su mano oprimiendo mi rodilla desnuda.

A la tarde los dos hombres retornaron a la sinagoga a repasar unos detalles y nos dejaron solos en la frescura de un entoldado patio, junto al susurro de una fuente, en el mesón donde habíamos almorzado. Sobre la mesa una joya de luz perla: el ópalo de la «palomita» de Chinchón con agua que, copiando el aperitivo oranés, ella había pedido después del café. Otra luz exquisita se posaba en su cuello de Nefertiti y en la curva de su brazo desnudo, sobre su piel de ámbar. Retirados poco a poco los demás comensales, esperábamos allí en un pozo de calma y silencio como un claustro místico.

A ratos declinaba la conversación y los dos convivíamos en una misma languidez; luego renacía el diálogo y mi timidez habitual se transformaba, frente a ella, en mi estado de ánimo adquirido en todo el día, entre la ternura casi pueril y el afán de hombrear, que me infundía audacia para vaciarme, dándome en palabras. Quizás el vino del almuerzo alentaba aquella ambivalencia: tan pronto me aletargaba como me enardecía. El caso es que surgió el tema de amantes famosos de la historia y así supe por primera vez del poema de Leyla y Majnun, que ella prometió enviarme desde su país como recuerdo para contribuir al incipiente árabe que me estaba enseñando papá: así llegó hasta mi alcoba la edición bilingüe ahora recobrada. Tras aquella promesa ella guardó silencio y al cabo dijo algo inesperado, inexplicable, hablando quedo, como para sí misma, sin verme aunque me miraba: «¿Por qué eres tan joven?», dijo… Me costó un esfuerzo no romper en incomprensible llanto.

Al regreso, mi cuerpo sentado junto al suyo en el asiento trasero, hablamos menos, pero ya no me importaron mis rodillas desnudas. Las amapolas ensangrentaban las cunetas de la carretera; los trigales asomaban aún verdes pero ya encañaban (ahora pienso que encarnaban mi ánimo). El coche nos dejó a papá y a mí en la esquina de casa y sólo en aquel instante me acordé de mamá sufriendo de jaqueca todo el día mientras yo vivía a borbotones y la imaginé acostada en la cama, inmóvil y totalmente a oscuras, soportando el dolor. Me avergonzó mi traición y traté de indultarme, mientras nos elevaba el ascensor, pensando que, al menos, yo me había comportado muy *cavalier servant* como mamá me deseaba y así, en cierto modo, le había dedicado el día a ella.

En el cuarto de estar nos encontramos a mamá sentada tan campante en el sillón bajo su retrato, mirándonos como a dos culpables, o así me lo pareció por haberme acusado yo momentos antes. Pero sus jaquecas solían durar más y por eso llegué a sospechar si no sería ella la engañadora… Fueron momentos muy extraños… Pero en seguida pasamos a cenar y papá y yo hablamos muy poco de Toledo, sin que ella nos exigiera detalles con la palabra que en tales casos esgrimía para extraer confesiones: «¡Desembucha!» Lo único trascendental de aquella noche, aparte de los recuerdos que me mantendrían emocionadamente insomne en mi cama largo rato, fue el anuncio por mi padre de que al día siguiente habría yo de llevar al hotel Palace, donde se alojaba el matrimonio, un libro que interesaba al profesor argelino. Así se decidió mi tercer encuentro con la señora Djalil, mi exótica compañera del viaje a Toledo.

¡El tercer encuentro! Me preparé ilusionado, pero ya sin incertidumbre, imaginándolo como continuación de la víspera y ocasión, incluso, para expresar un par de ideas brillantes, concebidas durante mi insomnio. ¡Qué diferencia entre esas previsiones y la realidad!... Poco antes del mediodía, según la recomendación de papá, para no despertarles si habían cenado fuera, entré en el hotel ante un conserje uniformado como un almirante. Desde ese momento todo me intimidó: el lujoso vestíbulo, la recepción donde balbuceé explicaciones, el ascensor —un estuche de cristal, oro y terciopelo ascendiendo majestuoso hacia el empíreo—, la moqueta del pasillo, el acolchado silencio, la desdeñosa mirada hacia mi pantalón corto de una camarera que lucía su cofia como una diadema… Todo me declaraba intruso, me anulaba, me vaciaba de realidad. Así llegué hasta la puerta privilegiada y apenas llamé la abrió Farida, rozando su mano con la mía al coincidir ambas para cerrar la puerta.

Aun antes de verla ya en el umbral la sentí, la respiré, la recibí toda ella invadiéndome así con su perfume. Después fui yo quien se anegó en su mundo, al ofrecerle el libro que llevaba, al sentarme donde me indicó, al seguirla en sus movimientos, al aceptar un vaso de agua, al verla aparecer trayéndomelo por una puerta que dejó entreabierta, permitiéndome atisbar una cama aún deshecha y, finalmente, al tenerla sentada en un sillón, desde donde me dirigió palabras que supongo relativas al día de Toledo, a la ausencia de su marido o a cualquier otro tema plausible… Pero sólo lo supongo, y no porque me falle la memoria sino porque no capté el sentido de sus frases ni siquiera mientras las oía. Todo mi ser, con toda su atención, estaba cautivo de un poderoso imán revelado cuando, al sentarse Farida, la abertura en la larga falda de su caftán verde, desde casi la cadera, se abrió descubriendo una alta visión parcial de la pierna. Aquel corte en la tela se me hizo mágica ventana a otro mundo, a otra edad, misteriosamente conectada con la entreabierta puerta hacia la alcoba. Desde aquella revelación el mundo entero se redujo para mí a la visión del muslo, ofrecida y negada alternativamente según el juego de la falda. Todo mi yo se consagró a adorar visualmente la fugacidad de las apariciones carnales, con cuidado de no hacerme notar, aprovechando para ello los momentos en que ella no me miraba, por haberse levantado a contestar al teléfono, a correr las cortinas contra el sol o a volver a la alcoba para traerme de allí un pequeño recuerdo, un amuleto que me aseguraría la buena suerte... Supongo que en todo momento le contesté sin desatinos, que percibí sus movimientos y escuché su voz, pero sólo estoy seguro de no haberme perdido ni uno solo de los encuadres que, a cada nueva posición suya o a cada paso, me ofrecían las ondulaciones del caftán. Y aunque nunca se me concedió la visión plena, aún fue más prodigiosa mi reconstrucción mental del muslo integrando sus fragmentos, con ayuda de aquel perfume suyo penetrándome. Un perfume que tuve la audacia de elogiar, lo que la impulsó a revelarme el secreto con aire risueño, enseñándome el elegante envase donde leí la clave: *Magie*, de Lancome.

No sé cómo fui al fin capaz de arrancarme de aquel imán obsesivo y retirarme tras una despedida que ella coronó besándome en la mejilla mientras se acercaba a mi rostro con su mano en mi mentón. Me retiré llevándome aquel muslo erigido en mi dios único y verdadero, reinando supremo sobre los hasta entonces admirados: el de Marlene en *El ángel azul*, el de Arletty en la Antinea de *La Atlántida* y otros menores, todos grises imágenes, sin fuerza frente a la carne... Ni siquiera los femeninos pies descalzos, que Farida excusó como acostumbrados en su tierra, ni la espléndida cabellera en libertad, oculta en Toledo y en mi casa bajo elegante sombrerito, merecieron algo más que una mirada mía como complementos de mi nuevo dios.

Al llegar a casa, todavía viviendo entre nubes, reteniendo en mí su perfume (mamá lo percibió pero no me dijo nada), mostré el recuerdo que ella me había regalado: una cadenita para pulsera, de la que colgaba una pequeña mano de Fátima en oro.

—Pero eso es para niñas; no vas a llevarlo tú. —Se escandalizó mamá.

—Ya me dijo madame Djalil que desprendiese la mano de Fátima y la llevase en mi cartera.

—Dámela. Yo te la guardaré.

—Estaréis mejor en el Pub Inglés. Es más tranquilo.

Chelo, al transmitirme la cita para hoy con la desconocida, me sugirió atravesar la sección de revistas aneja y pasar a ese otro bar inmediato, más gratamente decorado con silloncitos de cuero y algún diván, mesas en tono caoba con lamparitas iluminadas y cuadros de asunto hípico en las paredes. He llegado demasiado temprano, como suele ocurrirme, y pido un gin-tonic, para ponerme en ambiente.

Sigo dándole vueltas a la personalidad de Khadir y a mis lejanos recuerdos de 1935. Mamá me guardó la mano de Fátima con tanto cuidado que no recobré el amuleto hasta que, a su muerte, lo hallé entre lo heredado. ¿Por qué obró así?, me pregunto. Y ¿por qué no le reclamé nunca un objeto tan cargado para mí de significación? Su motivo lo ignoro; en cuanto al mío, descubro ahora que fue el sentirme oscuramente culpable de algo como un adulterio, traicionando a mamá… Eso fue, nada menos, lo que se cumplió entonces en mí sin yo saberlo. Al guiarme Farida en la peregrinación toledana y al recibirme luego en su perfumado santuario del Palace, me desprendió de la inocencia infantil y me condujo al mundo sexuado. Sólo así me explico el explosivo impacto de los relámpagos carnales revelados por el caftán puesto que, en el verano anterior, yo había visto ya en Ras-

Marif a diario los muslos de tita Luisa, había nadado entre ellos y hasta los había secado en la playa... Pero aquellas piernas familiares eran de otra naturaleza: entrañables y afectuosas, ajenas al deseo, sin sombra de pecado. Farida me llevó a otro mundo: exótica, tatuada, misteriosa, a la vez mimosa y provocativa hasta oprimir mi rodilla en el oscuro recinto de la capilla toledana. Al mismo tiempo, el Mario de 1935 también era distinto que el de la playa por contar con un año más, decisivo a esa edad, y meses suplementarios de cuchicheos morbosos y lecturas prohibidas en el colegio. Farida se me apareció así en el momento preciso y me elevó desde la sensualidad al sexo. Por eso cuando, al curiosear en la caja de postales días después, el azar puso en mis manos la de Liane de Pougy –perfecta imagen de Farida en su caftán– la separé de las demás y la incorporé a mis tesoros con la misma reverencia con que, en mi ya superada infancia, guardaba estampitas de santos. Y cuando a poco llegó desde Argel el prometido poema de Leyla y Majnun guardé la postal bajo la cubierta del libro porque se complementaban.

Ésa fue la verdad de mis días en aquella primavera; así fueron de decisivos para moldear mi ser, aunque yo entonces no lo percibiera. Desde mi clarividencia actual lo que me asombra es algo muy diferente: me resulta inexplicable que vivencias tan hondas e imborrables no asomaran con frecuencia a mi memoria a lo largo de mi vida, hasta el punto de no haber recordado nunca hasta ahora –jamás, repito– el nombre clave de una sensación anclada en el perfume de aquella alcoba: *Magie.*

Por supuesto el olvido no fue total. Se cruzaron cartas, mencionamos al matrimonio argelino en casa alguna vez, hablé con papá del poema... Pero fue un recordar esporádico, banalizado, evocando tan sólo la superficie de los acontecimientos y nunca la transmutadora impresión que dejaron estampada en mí según ahora descubro. Y si durante medio siglo no se manifestó nunca en mí la memoria de trance tan decisivo como el salto del niño hacia el adulto: ¿Por qué ahora el posible retorno de Farida en esa Khadir provoca tanta excitación sentimental y alumbra una nueva visión de mi pasado?

Una mujer aparece en la puerta y pasea su mirada por el local, cortando de golpe mis cavilaciones. A contraluz no distingo su rostro, pero estoy cierto de que es ella. Me ha visto y su brazo anticipa un gesto de saludo tan íntimo como efusivo mientras se me acerca con paso decidido, ágil y felino, a pesar de la falda larga. La aguardo de pie y beso la mano que me tiende. Cambiamos palabras que no retengo, la ayudo a instalarse dejando en una silla inmediata su gran bolso y su chal, y al fin consigo centrarme y escucharla:

—Sigues siendo Majnun, ya lo veo. ¡Ah! Sabía que eras tú.

—Yo no estaba seguro. El apellido Khadir…

—Es el mío. ¿Cómo no se te ocurrió? Djalil era el de mi marido y lo dejé al quedarme viuda, hace años.

Claro, ¿cómo no se me ocurrió?… Mientras comentamos la cuestión me concentro en su presencia física, tan viva como entonces. Es ella, apenas más madura, más plena, más densa su envolvente voz de violoncelo. Sus manos, fuertes y finas a la vez, aparecen al quitarse sus guantes. Reluce el negro cabello, recogido detrás, coronando la cabeza sobre el grácil cuello. En su tez de ámbar claro los ojos contrastan con los altos pómulos berberiscos: brillan entre azules y grises, haciéndome recordar su explicación de que en su tierra dejaron huellas genéticas los vándalos del norte.

—Un té con hierbabuena, por favor.

Su petición al camarero, tan poco acorde con el decorado inglés, me reinserta en nuestro presente. Me explica que lo preparan tan bien como en su país y eso me lleva a preguntarle cuáles postales del paquete llamaron su atención.

—Las de mi mundo, la Gran Kabylia. Primero cayó en mis manos una de Fort-National, que desde la independencia se llama Aït-Irathen, porque es el nombre de la etnia beréber local, a la que pertenece mi padre. Tenemos a orgullo no ser árabes y el ser hija yo de madre española no cambia mi origen, aunque me haya influido mucho. Somos un pueblo resistiéndose contra todos, desde Roma a los franceses, y una antepasada mía fue la famosa Kahina, la profetisa que acaudilló a los suyos en la batalla donde murió el árabe Okba bin Nafaa, el fundador de Kairuan. Ésta es mi marca —sonríe señalando con el dedo el tatuaje en su barbilla—, sobre la que hace años no te atreviste a preguntarme.

—¿Podía yo atreverme a nada? —sonrío a mi vez.

Me mira como evaluándome pero ningún gesto denota su opinión. Ha llegado su té acompañado por un platillo de dulces de miel y entrega uno al fulgor de sus dientes.

—A mi padre sí le pregunté por su tatuaje —añado— pero...

—¿Su? Ya en Toledo nos tuteábamos... ¿Tanto me has olvidado?

—¡No, no! —me apresuro a protestar.

—Eso es fácil de decir —no obstante su sonrisa, ahora sus ojos son de acero—, pero los meros cumplidos no me valen... ¿Es que ni aquí te vas a atrever a la verdad?

Extrañamente su voz me suena definitiva como un ultimátum. Se toma o se deja. Mi memoria revivida, mi estado de ánimo, su presencia... todo me decide.

—La verdad es inexplicable; ésa es la verdad. Quizás usted, tú, lo comprendas; yo no. No te he recordado explícitamente casi nunca, eso es lo cierto, pero no te he olvidado jamás: la prueba es la violencia con que he recordado en cuanto me buscaste. No sé cómo decirlo: no tenía voluntad de recordar, pero nunca se borró el recuerdo de mi memoria involuntaria. Como si otro en mí recordase fielmente.

—Está muy bien dicho y precisamente entiendo del tema; es mi profesión.

—¿Psicóloga? Cuando te conocí enseñabas literatura.

—Ni psicóloga ni psiquiatra al uso; más bien todo lo contrario... Ya te contaré, puesto que has planteado el problema y te interesas por él.

—Me interesas tú —me atrevo, no sé cómo.

—Entonces estamos a la par, porque me interesas tú. —Sonríe—. Ya entonces eras diferente y no has cambiado... Voy a pedirte un té; es mejor que esa pócima.

Callamos mientras lo encarga. Luego ella enciende un cigarrillo, es de una marca distinta de los que fumaba en Toledo. Me gusta que fume, como mamá; a las dos les va bien. Me asombro de las palabras que acabo de dirigirle y del sosiego que me infunden, como si la verdad clarificase. Atreverse aquí no es osadía, sino sensatez vital; lo he notado ya en los otros encuentros. Por eso no me importa seguir asomándome a mis cavilaciones, ahora desdramatizadas:

—Pues si te intereso te diré otras cosas curiosas. Ante todo, no sé cómo llegaron aquí las postales; no recuerdo haberlas traído. Además, vengo cavilando en mi olvido de tantos años y descubro que no fue exactamente eso, sino un recuerdo apagado, sin importancia, como muerto.

—Suele ser así. Es la manera de olvidar lo importante sin sentir remordimientos por ello. Olvidar del todo, aunque se pueda, es más doloroso... Por cierto —me sorprende Farida pues, a primera vista, su pregunta no tiene nada que ver con mi planteamiento—, ¿cuándo murió tu madre?

—Uf... En el cincuenta y siete... Eso es.

—Ya... Después de tu boda no supe más de vosotros. Te escribí una carta de enhorabuena...

—¡No la recibí!

—Eso supuse: me extrañó que fuera tu madre quien me contestara. Escribí otra y ya no volví a saber nada.

—Pero la memoria... —Vuelvo a mi tema, tras un silencio de extrañeza—. Yo pienso que tenemos dos.

Le empiezo a explicar mi idea de la memoria oscura, pero me ataja:

—Es una sola, a la que queremos racionalizar sin, por fortuna, conseguirlo del todo. Pero el tema es complicado.

Como prefiere aplazarlo y ya ha llegado mi té, elogio su calidad. Evocamos nuestro primer encuentro, su impresión de un Madrid provinciano al llegar de París, y del Toledo medieval: sus callejas, sus artesanos y el peso abrumador del Alcázar y de la Catedral, con los abigarrados retablos. Lo que aún la seguía entusiasmando era El Greco: las llamaradas de color en los apóstoles de la Casa del pintor y el prodigioso *Entierro del Conde de Orgaz* en Santo Tomé.

—Te impresionó muchísimo —le insisto—. No sé si recordarás y quizás ni te diste cuenta, pero allí oprimiste mi rodilla con emocionada violencia. Me dejaste asombrado.

Su mirada, mientras calla antes de decidirse, me sorprende ahora.

—Más te hubiera sorprendido si hubieras sabido que algo en aquella oscuridad y ante aquel descubrimiento desencadenó tal impulso de apoderarme así de alguien. Repetí sin pensar un gesto posesivo mío muy anterior con una joven esclava, del harem de mi abuelo, que me deparó mi primera experiencia sexual: fue mi primera amante, amparadas ambas por mi tía Milia... ¿Por qué lo repetí en Toledo? Tiene su explicación aunque entonces yo lo ignoraba todo de esos recovecos mentales... Te hubiera sorprendido también mi tía, que pensaba prepararme bien para la vida organizándome aquella vivencia sexual. Fue mujer muy independiente; me deslumbraba. Había sido muy amiga de la famosa Isabelle Eberhardt, de quien recordarás que te hablé.

—Claro, y mi tío Juan también la conoció. Y vio montar a caballo a tu tía, galopando como ningún jinete.

—Así era ella… Pero estoy hablando demasiado de mí y tú no me cuentas nada.

—Te escucho encantado; eres mucho más interesante. Sobre todo me importa tu gran cambio de profesión… ¿Sabes? Yo siento también una gran ansia de ser otro, una necesidad de revisión, de replanteamiento. Te parecerá pueril, pero a estas alturas algo me manda empezar otra vez.

—No es pueril, sino maduro. La vida es siempre empezar. Dentro de una perseverancia; de lo contrario vamos mal… Los místicos del Islam creen que Allah aniquila el mundo entero en cada inspiración de su aliento para volver a recrearlo en su siguiente expiración.

—¿Eres musulmana creyente?

—¡Quiá! No necesito ninguna religión… Tú tampoco, estoy segura: tenías ya entonces la imaginación y la sensibilidad suficiente para identificarla como otra mitología… Pero es un largo tema pendiente.

—¿Te vas?

Sonríe ante mi voz decepcionada.

—He de irme, pero nos veremos, ¿verdad? Y no sólo por tus postales de mi tierra.

—Cuando quieras. No tengo obligaciones.

—Yo sí. Ejerzo aquí mi profesión, esa que te interesa… Pero te encontraré un hueco. Ya te avisaré.

Se calza los guantes, recoge su chal y su bolso, nos despedimos y al alejarse puedo admirar sus tobillos finos, de potranca de raza, con ese leve vaivén lateral a cada pisada que muchas no logran con tacones de aguja y ella consigue con su medio tacón. El resto lo ha velado la falda larga. Seguramente en aquel Palace ella se dio cuenta del efecto del caftán sobre mí, pero ¿cabe acaso esperar que lo haya recordado al vestirse ahora? ¡Y yo que me imaginaba ver de nuevo la reveladora abertura en su costado! Me siento ahora un poco... No, defraudado no; ésa no es la palabra, porque ya no soy el de entonces.

No, no lo soy aunque sea el mismo y ella lo ha comprendido desde el primer momento: se lo agradezco. Por eso me ha hecho el don de esa confidencia sobre su primera amante femenina: para mostrarme que me considera digno de ella. Esta creencia me enternece y me abre un horizonte insospechado donde estalla un relámpago mental: la súbita duda de si el esplendor de El Greco fue causa de su mano en mi rodilla y provocó después la asociación del recuerdo amoroso o si, por el contrario, fue mi rodilla a su alcance la que originó el recuerdo de la esclava poseída.

Me abismo ante ese horizonte. Antes de su llegada creía yo haber descubierto en su presencia todo lo que ignoraba sobre mi pasado, y ahora se abren nuevas perspectivas en la hondura de mí mismo; ese desconocido del que no cesan las revelaciones.

Mi encuentro con Farida me ha dejado caviloso, pero ya no me agitan incertidumbres sino ávidas curiosidades. Además ella me ha acercado al mundo de papá, a la cultura islámica, a sus libros y a su despacho, en donde paso ahora más tiempo. Revivo mis conversaciones con él, sus historias del mundo árabe o sus recuerdos marroquíes. Y este libro que ahora hojeo, por ejemplo, la gramática de tamachek que papá estudiaba y sobre la que se carteaba con el profesor Djalil, quizás fuese entonces el único ejemplar entre nosotros, a pesar de ser la lengua beréber todavía hablada, si bien no escrita ya por la imposición del árabe. Y como yo no puedo leer los ejemplos de inscripciones reproducidos en el libro, lo cierro y me abstraigo contemplando por la ventana ese curioso cielo, teñido ahora de sosegantes matices, pálidos casi siempre, en las gamas del azul y verde, o del dorado y malva, a veces con breves incandescencias como incitaciones o anuncios.

Vuelvo a la mesa de papá a entretenerme con las postales. Una de las más antiguas me muestra ese hermano del tajo de Ronda que es el hondo cañón del río Rummel en Constantina, capital oriental argelina, afirmándose en la fotografía que el puente de hierro era, en 1904, el más alto del mundo... Varias recogen vistas de Biskra; como los cuarteles de la Legión o las dunas de arena y los famosos palmerales. Otras son ya de la Melilla anterior a la Primera Guerra Mundial: es el mundo de mamá y la tita Luisa todavía solteras, del que me hago una idea por las conversaciones en casa y las descripciones de papá: una vida social ultraprovinciana, donde los despectivamente llamados «paisanos» en la jerga militar no tenían relevancia frente a los galones y las estrellas que jerarquizaban implacablemente a las familias. Percibo la importancia entonces de los céntimos cuando, al dorso de una postal, se anuncia como ayuda el envío al destinatario de un giro postal de cinco pesetas.

De pronto me sobresalta una explosión de sonidos. Reconozco en los primeros compases la *Danza húngara número 1* de Brahms, que en el Madrid de los años cuarenta solía ofrecer como propina la Orquesta de Cámara de Hans von Benda. Pero no suena una transcripción orquestal, sino un piano, y muy próximo. Me vuelvo y grito:

—¡Papá!

Casi no le doy tiempo a dejar de tocar su piano y girarse en el taburete. El abrazo es apretado, largo: mi emoción sin palabras empaña mis ojos.

—Vamos, vamos —me calma él—. No pensarías que no íbamos a vernos.

No ha cambiado. Su pelo gris, hacia atrás, sus dulces ojos castaños, labios finos, manos delicadas, gesto mesurado…

—Claro que lo esperaba, pero no estaba seguro.

—Es lo más natural, hijo. Ya has visto a mamá, a Juan, a Luisa… Todos te queremos.

—¿Y sabes a quién acabo de encontrar también? ¡A la señora Khadir, a Farida!

—¿Farida?

—Madame Djalil, la del profesor argelino amigo tuyo que nos visitó en Madrid. ¿No recuerdas?

—¡Ya lo creo! Admirable mujer. ¡Qué bien me hablaba de ella su marido en Toledo!

—No sabes la alegría que me dio encontrarla gracias a estas postales… Ahora estaba yo mirando unas de la Melilla de tu época. Mira, seguro que te hacen recordar.

—Aquí se recuerda todo, hasta lo que no recordábamos. En esa casa, frente a la Comandancia General, viví yo antes de casarme con tu madre.

—Una vez, en Ras-Marif, tita Luisa me dijo que tú te habías fijado en ella antes que en mamá.

—¿Te dijo eso? —Su mirar se dulcifica por un momento—. Es verdad. Las dos eran muy guapas pero tu madre me intimidaba. Luisa era más de mi estilo y yo me inclinaba a ella. Las seguía por el parque, las «encerraba» hasta su casa, como se decía entonces. Pero tu madre decidió conquistarme y lo logró sin dificultad; ni Luisa ni yo podíamos contrariarla. No podía perder tiempo, ya no eran unas niñas en una época en que a los veinticinco la mujer empezaba a resultar solterona. No es que yo fuera mucho más que un arabista traductor de la Comandancia, pero mi puesto civil tenía el pomposo nombre de «Consejero» y además yo trabajaba en la privilegiada esfera del alto mando, donde otros asesores lograron llenarse el bolsillo con sus influencias. Así es que tu madre me eligió y yo me casé con la esperanza de que si teníamos un hijo heredase el carácter fuerte de ella en vez del mío. La pobre Luisa siguió cuidando a su madre en Ras-Marif y perdió su juventud en aquel agujero de tu paraíso. Sólo recobraba el gusto de vivir cuando la invitábamos unas semanas a nuestra casa, pero tu madre no las prodigaba. Pensaba, y con razón, que mi placer por acompañar al piano a tu tía no era solamente estético. Aunque Luisa encantaba oyéndola, sobre todo los tangos, sus piezas favoritas.

Papá se vuelve al teclado y, soñadoramente, toca unos compases del tango *Caminito*. Sí, daba gusto oírselo cantar a ella.

—¿Estabas enamorado de la tita? —pregunto, sorprendido por la naturalidad con que formulo aquí tales preguntas.

—Todo lo enamorado que yo podía estar de una mujer. Pero como teníamos el mismo carácter no era una relación ardorosa sino sólo una fraternidad erótica. Con ella yo no llegaba a más, no era capaz. En cambio tu madre lograba excitarme en la cama hasta poder satisfacerla plenamente. Su disciplina, el someterme como mero instrumento de su deseo, me engallaba y me hacía más macho que si yo llevara la iniciativa. Siempre me montaba ella, era mi jinete; su dominación me hacía activo...

Me mira e interpreta mi expresión:

—Te choca que hable así a mi hijo, pero ¿acaso no nacemos todos de los abrazos de nuestros padres?... Ya irás comprobando que aquí las hipocresías y los tapujos se desmoronan ante la fuerza de los hechos. Y los hechos son mucho más variados y complejos que los dos comportamientos sexuales únicos permitidos por la cultura oficial: el macho y la hembra, cada uno de ellos heterosexual cien por cien sin resquicios, encarnando respectivamente el poder y la sumisión. Pero por mucho que todas las demás variantes sean declaradas perversiones, la vida en la naturaleza sigue produciendo los casos y matices más diversos… Supongo que no necesito demostrártelo, a poco que recuerdes tu propio matrimonio. Ya sé además que no te dolió gran cosa el desenlace.

—Así es; fue un alivio.

—El de salir de la farsa e instalarse en la verdad.

—Únicamente me dolió el desprecio de la gente…

—¡El desprecio!… —Rechaza mi padre con la voz más desdeñosa imaginable—. El desprecio lo temen los poderosos porque les debilita; ellos prefieren ser odiados porque eso es reconocer su fuerza. Los débiles nos confirmamos en ese desprecio ajeno porque es nuestra identidad. «El que se humilla será ensalzado», lo dicen hasta los que necesitan dios, y es que al instalado en la sumisión no se le puede rebajar más.

—No comprendo —me atrevo a interrumpirle.

Me contempla benévolo:

—Me extraña, con la vida que has llevado. Cuando el sumiso se encara con el fuerte, retándole a que le degrade y el fuerte reacciona maltratando y humillando, hace precisamente lo que desea el sumiso. Es decir le obedece, se convierte en su instrumento, aunque crea estar dominando… Mientras no te desprecies a ti mismo ríete del desprecio ajeno y vive según tu propia verdad.

Papá vibra de tensión vital, de superioridad irrefutable.

—¿Sabes cómo me nació mi vocación de arabista, que acabó por ser, más que ciencia, conocimiento orientador de mi verdadero destino? Mi padre me regaló como premio un ejemplar de *Las mil y una noches* que inmediatamente, aun siendo una selección para niños, me hechizó con la figura de Scherezada. Me fascinó aquella débil mujer, indefensa en el palacio, juguete para su amo el Gran Señor, entrando cada noche en la cámara erótica bajo la amenaza de ser decapitada. Cada ocaso comparecía ante las puertas de la muerte y cada aurora se sentía resucitar al salir viva del recinto. Para el sultán ella era un simple objeto rutinario de placer carnal; para ella cada orgasmo podía ser el último y por eso ¡con qué intensidad lo gozaría!... Por supuesto yo no pensaba así a los doce años y mi visión de la princesa era sólo una prematura intuición, inspirada ya por mi naturaleza íntima, pero sí llegué a esa comprensión cuando, licenciado en semíticas, conocí la versión auténtica, total e inexpurgada. Entonces, ya adulto, fui consciente de que yo no estaba hechizado por la princesa como lo están los admiradores de estrellas de cine. Mi identificación era total, era querer ser como ella, vivir su mismo destino. ¡Ah! Recuerdo muy bien la noche en que lo descubrí de repente y me dije, primero en mi pensamiento, luego en alta voz, acostado en la cama de la pensión de estudiante donde vivía: «Quiero ser odalisca.» «Quiero ser esclava»... Mi cuerpo ardía estremecido y, tendido boca arriba, crucé las muñecas bajo mi espalda como si me hubiesen maniatado. Me sentía desnuda y ofrecida, sí, en femenino, bajo las miradas de compradores barbudos; me sabía a punto de ser escudriñada, palpada, examinados mis dientes, vuelta boca abajo para apreciar mi culo... Viví un trance tan violento interiormente como el de un místico alzándose a lo divino; después de todo son los mismos mecanismos psicológicos. Mi viva fantasía duró un gran rato y me dormí exhausta... Desde ese momento me obsesionó la idea, pero su consecuencia no fue el proyecto de operarme como transexual, pues nadie pensaba entonces en esa posibilidad. Ni siquiera incurrí en travestismo: mi ansia no se conformaba con simulacros. Era algo más auténtico y profundo: quería ser poseída siendo quien yo era, dar placer con mi propio ser, vivir la experiencia real de ser gozada carnalmente y, desde esa transgresión, arrojar mi desprecio sobre quie-

70

nes careciesen del valor para atreverse, aun necesitándolo interiormente como yo: ostentando mi orgullo en el abismo frente al otro orgullo de los escaladores de premios y medallas... En el exterior yo era arabista, funcionario y consejero según las normas; por dentro vivía en la espera de mi Señor. Me preparaba para entregarme a él, para consagrar mi cuerpo a su capricho, su goce, su lujuria, incluso su sadismo si lo deseaba, como Luisa... Por fortuna mi profesión oficial me situaba en un ambiente donde ese Gran Señor, mi Príncipe Negro, podía manifestarse algún día y donde, mientras tanto, lograba yo a veces atisbar mi futuro, como Moisés la Tierra Prometida. Por ejemplo, en la recepción oficial de un dignatario musulmán sabía yo que cierta cerrada puerta del patio donde charlábamos conducía al recinto sellado de las mujeres, o que tras las tupidas celosías del piso superior estaban observando la fiesta las esposas gozadas por nuestro huésped, sin que ninguna pudiera sospechar mi envidia hacia ellas.

—¡Pero tú te casaste con mamá! ¡Algo te interesarían las mujeres!

—Acudía a algún burdel con oficiales amigos para no llamar la atención, a veces sin llegar a nada, fingiéndome más borracho de lo que estaba. Sí, tu madre fue quien me conquistó porque la adiviné dominadora. Resolví entregarme a una Gran Señora mientras aparecía mi Gran Señor, aun sabiendo que aquello tendría el coste de desempeñar, además de mis funciones oficiales, el papel de marido y el de padre. En este último, sobre todo, puse todo mi esfuerzo y si no resulté mejor fue porque heredaste mi carácter y no el de tu madre, como yo deseaba. Te quise de veras y te quiero: me gustaría creer que te serví de algo.

—Me diste muchísimo y no podría yo quererte más, sobre todo en tus últimos tiempos, cuando volviste de Teherán. Aquel congreso sobre el sufismo reconoció tu obra en ese campo, ¿verdad?, y de él volviste con otro talante. Yo te adoraba; sin poder explicármelo te sentía cambiado y, a la vez, más tú mismo que nunca.

—Acertabas y yo también os veía a todos de otro modo. Pensaba mucho en ti, en la vida que te aguardaba; deseaba que fuese tan intensa como había empezado a serlo la mía. Porque ¿sabes?, en Teherán emigré a otra existencia, fui transformado y me transformé; renací. No a causa del congreso, que fue como todos, sino por la magia de Zadar, el Gran Señor con quien se cumplió el sueño de toda mi vida anterior… No me mires asombrado, es fácil de decir aunque encierre todo un mundo: en Teherán llegué a ser Scherezada, esclava y odalisca por amor. Totalmente entregada y poseída por unos brazos viriles, también enamorados. Murió mi vieja piel y me nació otra… Sí, te lo explicaré, necesitas saberlo.

Deja posarse un silencio colmado. En la ventana vira la luz a un encendido púrpura.

—Fue como la conversión de san Pablo o el rayo que nos fulmina. Descargó en el mismo aeropuerto, adonde yo llegaba adormilado a las dos de la madrugada, con tres horas de retraso perdidas por motivos técnicos en la escala de Atenas. Era noche cerrada, no se veía la tierra hacia donde bajábamos entre turbulencias fantasmagóricas de las nubes. Tras un largo rodaje por la pista aparcamos ante una construcción tan desigualmente alumbrada por focos dispersos que parecía una irreal decoración de teatro. Descendimos y avancé con mi maletín hacia la puerta donde me aguardaba, sin yo sospecharlo, el advenimiento, el milagro… Y ya no vi nada más. Sólo tuve ojos para él, descollando entre todos en la puerta, con una blanca túnica estilo hindú sobre los pantalones también blancos y tocado con un gorro de astracán gris. Sobre aquel alto pedestal, casi marmóreo, del blanco atuendo emergía un rostro anguloso y benévolo a un tiempo: finos los labios, altos los pómulos, audaz la nariz, oscura la barba bien

recortada y, sobre todo, potentes ojos de azabache irradiando miradas como saetas. Ante aquella figura, con la cabeza tan impresionante
como las del antiguo Egipto labradas en diorita, sentí la revelación.
Era mi soñado dueño, mi Gran Señor encarnado. Y en el acto me
ofrecí a su dominio, le rendí mi vasallaje: jamás había encontrado a
un hombre tan singular, tan dotado de seductora superioridad. De
pronto vacilaron mis pasos al descender su mirada sobre mí, con una
expresión también de inmediato reconocimiento. No era ilusión mía,
venía hacia nuestro grupo sin dejar de contemplarme... ¿Sería posible?... Reanudé mi avance hacia él, obedeciendo a su reclamo, hasta detenernos frente a frente. Era increíble pero pronunciaba mi nombre tendiéndome su mano... ¡Su mano! ¿Cómo describir mi entrega
de la mía? Bajo el saludo convencional me declaré suyo en ese gesto y tomó posesión de mí. No me enteré de su nombre, que pronun-
ció al mismo tiempo; lo averigüé más tarde: Zadar Sfandiari. Me
tomó el brazo y me llevó a la puerta. Me atreví a mirar su perfil: un
halcón. Mejor, un grifo o un fénix de las antiguas miniaturas persas.

Papá me mira. Debo parecerle absorto, ansioso de sus palabras.

–Te lo he contado con detalle porque, aun no siendo nada ante
lo que viví después junto a él, ya empecé a sentirme verdadera odalisca desde ese encuentro. Ya no era yo el de antes ni lo podría ser
nunca; mi nueva vida arrancaría de ahí. Imposible la duda mientras
el Gran Señor me llevaba conducida –ya a veces me pensaba en femenino– hasta la sala de equipajes, como a una virgen recién vendida
a su dueño. Él era mi destino; yo lo sabía desde que me hirió el rayo,
lo sentía por las desaforadas palpitaciones de mi corazón, feliz y temeroso a la vez. *Mektub*: estaba escrito. Por eso te lo he contado con
detalle aun siendo imposible transmitirte mi emoción... Y mientras
yo vivía en mi fondo ese renacimiento, me asombraba comprobar el
poder de mi dueño. Todos le acataban, le dejaban paso, le servían. Al

policía controlador de la entrada en el país le dirigió unas palabras entre las que distinguí mi nombre y no tuve ni que exhibir mi pasaporte. En cuanto apareció mi maleta la hizo recoger por un porteador y, eludiendo la aduana, salimos tras ella hasta una limusina aparcada fuera con un chófer. Así iniciamos un viaje hacia las afueras de la ciudad.

—¿Y cómo es que te esperaba un personaje así? —pregunto impaciente por conocer la aventura.

—Me lo explicó en el coche, donde comenzó rogándome no llamarle «Excelencia», como todos en el aeropuerto, sino simplemente Zadar, aunque yo decidí dirigirme a él como Señor, pues para mí lo era. Se encontraba de embajador iranio en Roma cuando el congreso de Nápoles, seis años antes, una reunión a la que por excepción pude concurrir y él asistió a las sesiones como destacado estudioso del sufismo. Le llamó la atención mi ponencia e intentó comentarla conmigo pero hubo de volver con urgencia a Roma. Desde entonces se interesó por mis obras e incluso mi persona, informándose por sus colegas en Madrid: me sorprendió en la conversación lo mucho que sabía de mí e incluso de mamá y de ti... Por eso había decidido tenerme en su casa de Teherán, en vez de en los hoteles para el Congreso y cuando yo le aseguré no merecer tanta distinción me replicó, con citas de mis obras, que ningún cristiano había penetrado como yo en las honduras del amor islámico y de la unión erótica y divina, desde el poema de Leyla y Majnun hasta los cuartetos del *diwan* de Rumí para su amado Shams de Tabriz. Recuerdo cómo, al pronunciar esos elogios, tan acordes con mis emociones del momento, su mano se posó afectuosa sobre mi rodilla, como una gran mariposa blanca en la penumbra del coche. «¡Ya sabe que soy suya!» proclamó silencioso el deseo en mi corazón, pero mi humildad, intimidada ante su grandeza, me prevenía contra excesivas ilusiones... Y entre ese júbilo y esa incertidumbre fluctuó mi ánimo durante los tres días del congreso; la esperanza de que me tomase como su odalisca, según parecía anunciarme su trato, y el miedo de que mi persona le decepcionara por no estar a la altura de lo que le había hecho esperar mi obra. Por de pronto en el coche yo me persuadía de que mi sueño adolescente se realizaba, de que él llevaba consigo, a su lado, a la odalisca que yo siempre había querido ser... Al fin, cuando ya alboreaba, cruzamos un vasto parque y acabamos apeándonos ante los escalones de un atrio cubierto. Dos criados nos esperaban, subimos una escalinata interior, recorrimos salones y pasillos de las mil y una noches que me confirmaban en mi nueva condición. Mi dueño me condujo a una alcoba oriental con un magnífico cuarto de baño adyacente y, como me viese observar los muchos detalles femeninos del mobiliario, justificó mi instalación allí porque la puerta opuesta del baño comunicaba con su propio dormitorio, donde así estaría fácilmente a mi disposición. ¡Como si yo necesitara justificaciones para sentirme feliz en su cercanía!... Me dejó solo para descansar, pero no pude cerrar un ojo, reviviendo la emoción del encuentro y preparándome para lo que esperaba me esperase, deseando se realizara... El sol al fin penetró por mi ventanal y, al asomarme a un pequeño y cuidadísimo jardín percibí el intenso perfume de las rosas, transportándome al poético mundo del *Gulistán* de Saadi. Al fondo del jardín brillaban las ondulaciones de un estanque, de cuyas aguas emergió por una escala el nadador que las causaba: Zadar que, desnudo, se ofreció al sol. Una estatua de pálido bronce, pero no según el canon clásico sino con el de los nómadas: delgado, la energía en los nervios y en la fibra más aún que en los músculos, sin embargo bien modelados. Poderoso y flexible, casi felino, empezó a ejecutar varias asanas como un perfecto yogui, cuya agilidad me recordó la del velocísimo *chitah*, el leopardo domesticado para la caza por los nobles persas de las miniaturas. ¡Qué decepción la mía porque aquel semidiós no invadiera mi alcoba y me poseyera allí mismo!... Pero así viví tres días, en pleno suplicio de Tántalo, con la miel ante mis labios una y otra vez, sin alcanzarla nunca. Me llenó de júbilo que él celebrase mi ponencia sobre «La unión mística en Rumí», pero no era ése mi más ardiente deseo. Creí poder alcanzarlo cuando escuché su propia intervención sobre «Deseo, pasión y amor en el sufismo tántrico», pues parecía imposible que quien se entusiasmaba con tan fogosas ideas no respondiera a la intensidad de mis ansias; sobre todo después de descubrirme las honduras de lo que llamaba «el sufismo tántrico», para mí desconocido hasta entonces como variante esotérica de la mística islámica. Le pedí más noticias en nuestro coloquio de aquella noche y el resultado fue un diálogo de gran hondura pues, impresionado por sus ideas y enriquecido con ellas, yo expuse las mías en las que, bajo el análisis y la exégesis, yo estaba ofreciéndome a él con total desnudez. Entonces fue cuando me definió como uno de los tipos humanos caracterizados en la morfología tántrica: «Eres un perfecto corazón de gacela», exclamó, recogiendo sin mencionarla mi velada declaración. Me llené de audacia, oculté mi miedo bajo una sonrisa y le pregunté si ser así tenía algún valor. Me miró como no me había mirado nunca. «Un hombre corazón de gacela, caso muy raro cuando es tan puro como tú, es la pareja ideal, pues combina las cualidades de los dos sexos; encarna lo que vosotros llamáis androginia. Si encuentra su complementario conocerán ambos el Paraíso en la Tierra»... Imposible transmitirte mi exaltación; ¿cómo no sentirme entonces a las puertas de ese Paraíso?... ¡Oh noche inolvidable! Dormidas las rosas nos embriagaba el perfume del jazminero y el susurro de la fuente. Me atreví a preguntarle: «Y tú, Señor, ¿puedo saber cómo es tu corazón?» «Adivínalo», me ordenó y yo, recordándole agilísimo junto al estanque en la primera mañana murmuré: «De leopardo, si no te ofende.» Le vi emocionado al sentirse comprendido, pero eso fue todo. El *chitah* no saltó sobre la gacela ya en su poder... Esperé en vano, se ocultó la luna, se despidió dejándome solo... ¡Qué abismo, mi desesperación, qué corrosiva negrura! Ansiar algo toda una vida, depender de esa única obsesión, ver cómo el tiempo la iba haciendo cada vez menos posible y, de pronto, sin esperarlo ya, al borde del final, verme ante el milagro, sentirlo propicio, abrirme ya para él y sufrir que se evapora como por una maldición... ¡Qué insomnio de dolor y de llanto, tratando al menos de explicarme lo inexplicable!

—¿Estaba enfermo él o algo imprevisible?

—Mi tortura no duró mucho tiempo. Asistí como pude al día siguiente a la clausura del congreso y, al anochecer, cuando terminábamos de cenar, le recordé que a la mañana siguiente salía mi avión y empecé unas frases de gratitud por su hospitalidad, pero se me quebró la voz. Además él me atajó con palabras también temblorosas: «Yo esperaba que quizás te gustaría quedarte aquí unos días más, como mi huésped.» Mi dolor se encabritó de golpe: «Como tu huésped no, Señor»; imposible seguir soportándolo. «Me has apresado en la red de tu hombría como el cazador a la paloma.» Me miró sonriente, reconociendo el archifamoso verso del poema de Leyla y Majnun, mientras yo añadía: «Sólo me quedaría como tu esclava, tu sierva, tu odalisca.» Fui capaz de decirlo con firmeza, mirándole a los ojos, y cuando le oí responderme que ése era justamente su deseo me arrebató la ira: «Entonces ¿por qué has sido tan cruel estos días? ¿No me has visto sufrir esperándote en vano desde mi llegada? ¿Sadismo de leopardo, placer de la caza?»... Se levantó, vino junto a mí, se sentó a mi lado y me abrazó por el hombro, con lo que me rindió: «Te equivocas, gacela mía. Eres tú quien atrapó al leopardo, le hizo desearte, necesitarte, desde que te adiviné por tus escritos y me nació un amor que se confirmó con tu presencia. Yo también he sufrido reteniéndome, pero era menester padecer ambos para llegar ahora a estar maduros en la exasperación, como el místico que vuela mejor hacia la luz desde el abismo… Ha llegado el momento, lejos de congresos y de todo; te recojo en el límite y juntos construimos nuestro encuentro total. Serás mi odalisca, como deseas, gacela tanto tiempo esperada. Viviremos como Rumí y su amante Shams, según cantó en aquel cuarteto que conoces:

> *En verdad somos un alma única tú y yo.*
> *Nos mostramos y nos ocultamos tú en mí, yo en ti.*
> *Esa meta persiguen nuestros cuerpos al enlazarse,*
> *pues tú y yo no existimos ni yo ni tú.*

—Sólo unas palabras pude pronunciar después —continúa mi padre—: «¡Me has vaciado de mí! ¡Lléname de ti!» «Vas a amarme y a ser amada como no lo fuiste nunca —respondió—. Preparémonos para nuestras bodas; dentro de poco iré a buscarte a tu alcoba»… Pasé por el baño para ofrecerme mejor y luego, al entrar en mi cuarto, vi extendida sobre el lecho una suntuosa túnica toda encaje y transparencia. Apenas me la había puesto cuando apareció desnudo mi leopardo y en su mirada devoradora me sentí por fin su presa: me estremecí. «No tengas miedo», murmuró. «Tengo miedo, pero tengo mucha más ansia todavía de sentirte en mí.» Se acercó y me levantó en vilo, transportándome a través del baño hacia su cuarto. Su brazo derecho sujetaba mis rodillas por debajo, el izquierdo rodeaba mi torso, mi cabeza reposaba sobre su hombro. Cerré los ojos en éxtasis. Me embriagaba su fuerza, me envolvía su olor y el calor de su piel y el vigor de sus músculos. Fue la procesión nupcial más hermosa imaginable para llevar al tálamo a una virgen.

A medida que su emoción por el recuerdo ha ido creciendo su voz se ha debilitado hasta esfumarse y, a la vez, su figura se ha hecho translúcida, etérea, hasta desvanecerse.

¿Cuánto tiempo he continuado inmóvil, frente al vacío taburete del piano? El cambio de luz en la ventana me ha sacado de mi asombro ante la revelación. Ahora comprendo al nuevo padre que me llegó de Teherán y aprecio su orgullosa conversión a su verdad y aquel cariño distinto que me dedicaba. Le correspondo adorando a esa Scherezada con todas mis fibras y sentido. Este pequeño despacho suyo se me convierte en algo sagrado, en un oratorio. Contemplo las reliquias: los lentes, la lupa, el balancín secante, la estilográfica con la goma-depósito reseca... Y la música: sobre el piano convertido en altar los cuplés que fueron frívolos consagran la lírica erótica de una generación, junto a las verdes partituras clásicas en la edición Peters con baladas de Chopin o sonatas mozartianas... Y el Islam en el estante-retablo: un tomo de roja cubierta me recuerda inmediatamente el único modelo que en este momento puedo dar por compañía a la Odalisca: la traducción por Massignon de *al-Hallaj*. El místico sublime, el hereje incluso para sus hermanos herejes que, crucificado en Bagdad tras cortarle las manos, se desangraba perdonando a sus verdugos y repitiendo la blasfemia que proclamaba su fe: *Ana al-Haqq*, «yo soy la Verdad».

Como mi Scherezada: La Verdad está en mí. ¡Qué deslumbramiento me enciende interiormente! Llega la revelación hasta el fondo de mi infancia, aquella lámina de Historia Sagrada colgada en el aula de mi colegio. Pendía exactamente ante mis ojos y me obsesionaba: el sacrificio de Isaac. El desnudo adolescente aparecía de perfil, arrodillado sobre la pira de leña que él mismo había transportado hasta la cima del monte, y doblaba su torso con las manos atadas a la espalda, cordero ofrecido al sacrificio. Tras él, la figura tremenda del patriarca dispuesto a todo, inyectados los ojos, arremolinada la barba, sacudido el rojo manto por un vendaval siniestro, oprimiendo hacia abajo con la mano izquierda la nuca del hijo y alzando con el musculoso brazo derecho un alfanje a punto de degollar. La estampa me sugería ya entonces una morbosa interpretación de las virginales nalgas ofrecidas y del agresor patriarca, relacionando el cuadro con prácticas nefandas comentadas por los escolares mayores en secreto. Ahora se convierte aquella estampa en la consagración de la Odalisca, con su gloria al entregarse a la posesión, y el episodio bíblico se transmuta, por la revelación de mi Scherezada, en otra estampa diferente, en la que retumbaban las trompetas de Jericó. La reveladora voz paterna ha demolido hasta el polvo, como en aquella imagen, unas murallas represoras, ofreciendo a mi vista una ciudad abierta al horizonte y a la vida, de calles doradas y anchas, luminosas y libres; ciudad donde todo y cualquier amor es Amor cuando lo legitima una pasión auténtica, cuajada en el tuétano de los amantes. Una ciudad donde se respira a fondo y se goza en libertad, donde cada uno ama según su propio ser y no según programas ajenos.

Me dejo penetrar por esa verdad, que me empapa entero, mientras sigo en el sillón de papá, asombrado de que nadie me hubiese liberado antes de la camisa de fuerza oficial, preparándome para vivir mi vida verdadera. ¡Qué pena de mamá impidiéndome copiarla como modelo y amarla a mi manera! Así resultó mi infancia bajo ella un constante suplicio de Tántalo: hacerme como ella, según me pedía mi cuerpo, provocaba su rechazo y me impedía ser de ella y para ella. Así viví el sexo juvenil como mero simulacro en eventuales burdeles, para no desentonar y, al final, en la errónea decisión de mi boda que me fue imposible sostener por mucho tiempo. Y después la resignación con más simulacros, pues también lo fueron los únicos asomos al deseo endógeno en forma de sesiones con amas anunciadas en la prensa, pronto interrumpidas al comprobar su decepcionante mercantilización y falsedad. Toda esa deplorable biografía pasa por mi memoria y se desploma, como las murallas de Jericó, en polvo de olvido, reemplazada por el resplandor de mi ciudad nueva, la que habita mi padre, la Odalisca.

Resplandor anticipado sólo un momento en mi vida, cuando, desde la prohibida ciudad libre, me llegó un mensajero: Farida fue esa anunciación. En dos mágicos días me asomó, como los Magos en la leyenda de Belén, a la estrella naciente de mi sexualidad, la verdadera y espontánea. Su mano tomó posesión de mí reclamando mi rodilla en aquella cripta toledana, como Zadar cautivó a papá en Teherán, y allí hubiese nacido mi verdadero yo si no lo hubiera frustrado el destino: las dos guerras y la ruptura de nuestra comunicación. Todo me arrebató lejos de mí, del yo anunciado; hasta mamá me robó el amuleto de Fátima, extrañamente celosa, según ahora comprendo.

Pero todo ha cambiado al cabo de los tiempos. Fátima está aquí y he venido a reunirme con ella, Majnun renovando su entrega a Leyla. Este mundo es el mío, la Odalisca lo confirma; no por azar me ha llegado papá justo después de ella; ambos en mi busca. Ahora revivo hasta el fondo el encuentro en el Pub Inglés y comprendo la razón de las íntimas confidencias de Farida que, en el momento de escucharlas, resbalaron sobre mis oídos: su referencia a la sumisa esclava con la que se inició en el amor carnal. Sí, resbalaron, pasaron inadvertidas; así estaba yo de condicionado en mi sensibilidad antes de derrumbarse las murallas y revelárseme la ciudad abierta. Ahora, gracias al valor y al triunfo de papá, comprendo con cuánta claridad ha querido aparecerse a su Majnun aquella Farida que al tomar posesión de mi rodilla repitió el ritual con que poseyó a su esclava. Así se ha anunciado ella, precisamente a mí, la jinete vividora al galope, la seguidora de su tía la amazona y de Isabelle Eberhardt. La pasión de la Odalisca en Teherán, en brazos de su Gran Señor, me permite imaginar el goce de la esclava sometida a la espuela y la fusta de su dueña en el femenino harem de la Kabylia. Bajo el elegante vestido de la moderna doctora que ha regresado a encontrarme siento vibrar las pasiones de la beréber tatuada y atisbo las terapias inusuales de la psiquiatra... No perderé esta segunda oportunidad, no descansaré hasta alcanzar lo que amaneció en Toledo. Recomenzaré desde allí.

¿Qué es eso?

El teléfono. ¿Tengo teléfono?

El teléfono, sobre la mesita. Lo cojo, me lo acerco al oído, me habla. Sólo sé que es su voz, su sortilegio. Balbuceo algo, mientras me grita el corazón: «¡Por fin!»

—Soy yo, Farida... ¿Qué dices? —Ya me voy instalando en la sorpresa esperadísima.

—Nada, perdón... ¿Cómo has logrado llamarme?

—Conservaba tu número. El de entonces.

Entonces eran sólo cinco cifras, recuerdo mientras me habla. ¿Cómo es que...? Pero aquí suceden esas cosas.

—¿Me oyes?... ¡Mario!

—Sí, dime.

—¿Te apetece que te recoja esta tarde? Hoy guío yo como tú me guiaste en Toledo. Hay un ciclo de Murnau en el cineclub y dan *Amanecer*. Recuerdo que te apasionaba el cine... ¿Me oyes?

—Perdona, estoy muy torpe... ¡Claro que me apetece!

—Entonces a las seis llegaré a tu casa. Hasta luego.

Cuelga sin dejarme darle las gracias. Estoy conmocionado. Lo esperaba y no me lo creo. Vivo en vilo hasta la tarde; antes de las seis estoy en mi ventana, atisbando la acera para verla llegar, pero ella me sorprende conduciendo un coche deportivo, un *roadster* de dos plazas. Frena ante el portal, alza la mirada para comprobar el número y entonces me ve. Le hago una señal para que no se apee, bajo sin esperar el ascensor y llego hasta el coche, cuya portezuela me abre. Me admira tan elegante y moderna, con su sombrerito *cloche*, su vaporoso echarpe, sus manos enguantadas al volante. Nos saludamos mientras me instalo a su lado, arranca con seguridad, me fijo en sus pies con zapatos bajos moviéndose sobre los pedales; en las lindas piernas y las rodillas perfectas asomando justo al borde de la falda malva, a juego con la ligera chaqueta.

Ante mi sorpresa por el coche me explica, atenta a la circulación, más intensa de lo habitual aquí:

—Es mi único capricho. Lo uso poco, pues apenas salgo.

—¿Es posible desde aquí alejarse mucho?

—Hasta el infinito, si quieres.

Se ríe, ante mi evidente asombro. Donde sí percibo un infinito es sobre nosotros, en esa luz de siempre. Ahora mismo es lechosa, sin densidad, como un velo. Pero no oculta que algo esconde, un más allá indescifrable.

—Pero no hace falta irse —añade—. ¿Para qué?

—Es verdad. Yo me siento aquí como nunca. Y sobre todo ahora, gracias a haberla encontrado. Junto a usted…

—¿Otra vez el usted?

—Perdona. ¡Me siento tan poco ante ti! Pero me enmendaré.

—Desde luego te corregirás; yo me encargo. Pero conduciendo no se puede hablar a fondo.

—Yo, por teléfono, tampoco. Estuve torpe antes. Quise decirte…

Un brusco frenazo, para no atropellar a un imprudente, me corta la palabra. Además nos acercamos a un edificio muy iluminado de esta gran avenida. Paramos a la puerta y antes de apearnos Farida cambia sus zapatos de conducir por otros con tacón; luego coge su bolso, descendemos y entrega la llave del coche a un empleado del cine: un local espléndido. Me recuerda el deslumbramiento que produjo en Madrid el cine Capitol cuando se inauguró, con su orquesta emergiendo del foso durante el entreacto sobre una plataforma ascendente, y sus juegos de luces coloreadas e incluso el detalle de un artilugio de alambre debajo de cada butaca para sostener el sombrero masculino, entonces mucho más usado.

Apagada la luz me reencuentro en la añorada atmósfera mágica, la del silencio y las sombras luminosas. Además la oscura caverna, transformada en templo, me transporta al toledano Santo Tomé, junto a esta mujer otra vez. Más próximo a ella que entonces porque ya he vislumbrado la ciudad abierta y porque hoy es mi guía; más aún, mi raptora, en el coche tan hábilmente dominado por sus manos, desenguantadas ahora y blanquecinas en la oscuridad... Por momentos espero ver posarse su derecha en mi ansiosa rodilla, pero está muy atenta a la pantalla y yo también me entrego a la película, seguro de que ella me sabe suyo, pensamiento infinitamente liberador aunque sea propio de un cautivo. Me libera de mí para entregarme a mí; me permite interesarme en la película sin separarme de Farida, de su perfume, de la tibieza de su cuerpo, del ocasional roce de su brazo con el mío. Soy hiedra en torno a esa palma mientras contemplo la conmovedora historia narrada por Murnau en la pantalla. De pronto, casi al final, me asalta la sorpresa ante Farida secándose discretamente los ojos con un pañuelito. Cuando se enciende la luz su sonrisa es dulzura.

—Ya ves, a veces lloro por algo así. ¿Qué te parece?

Me callo que es adorable y me consuela de mi rodilla huérfana de su mano, pues ese llanto me la hace más accesible. ¿Accesible? Soy necio. Ahora la siento más en alto, entre las estrellas diamantinas.

—Cenaremos aquí mismo —propone—. Soy de un club en la torre del edificio. Te gustará.

—¿Cenar?

Hablo tan ajeno a lo cotidiano que se echa a reír.

—Sí, hombre. Algo ligero, pero bueno.

Un ascensor cuya subida no parece acabarse nunca nos deja ante una elegante puerta con una placa: «Golden House». Por un pequeño vestíbulo con un portero, que se inclina ante Farida y me mira curioso, pasamos a un vasto local con grandes ventanales en gran parte de su curvada pared. Pues me habla de cena supongo que ahora toca ser noche, pero la luz exterior despliega arreboles de ocaso e irisaciones crepusculares. Hay veladores junto a una lujosa barra de bar y mesas ya montadas, con exquisitas lámparas estilo cubista encendidas en cada una. Los muebles son de tubo de acero. Un piano discreto ofrece jazz excelente. Me acerco a un ventanal esperando ver desde esta altura un panorama de Las Afueras pero una niebla baja envuelve el edificio impidiendo la visión.

Nos sentamos y se acerca un camarero. No me entero bien de lo que encarga Farida —me siento relajado, sobre nubes— pero lo primero que llega es un buen whisky de malta para mí. ¿Cómo sabe ella que prefiero ese alcohol? El caso es que la compungida niña del cine ha vuelto a empuñar las riendas y a gobernar la noche.

El whisky queda en su punto, de agua y de frialdad, servido por el camarero como si conociera mis gustos. Ella paladea un sorbo y sonríe.

—Gracias, Albert; está perfecto.

El camarero le da las gracias, se inclina y se retira. Ella me explica:

—Vengo aquí a relajarme de vez en cuando. ¿Te gusta esto?

—Mucho. Es elegante, silencioso, acogedor...

Es cierto, pero me pregunto si eso implica una larga estancia aquí.

Estamos sentados en dos lados contiguos de una mesita cuadrada y Farida, relajándose para fumar un cigarrillo que le enciendo con su propio encendedor, estira por fuera de la mesa sus piernas bien modeladas y el calzado, ahora revelado a plena luz, cautiva mi mirada. Son sandalias de vestir con tacón, cuyas mínimas tiras de ante malva adornan más que sujetan unos pies perfectos. Me domina mi contemplación; por suerte ella mira a lo lejos disfrutando del tabaco, en una abstraída placidez que no quiero interrumpir. Al cabo, el piano me devuelve a mí mismo; ahora ofrece un fox-trot de mis tiempos, el *Halleluja* que aún se escuchaba en algún *te-dansant* durante la República. Desde la plaza de la Libertad, más de una tarde, pude oírselo tocar a la orquestina del Ritz, para sus afortunados clientes, al otro lado del seto que protegía el jardín del hotel.

—¿Te gustan mis zapatos?

Me sobresalto, como sorprendido en algo impropio, y le agradezco la naturalidad de su tono.

—Mucho... Perdona que me fijase tanto.

—¿Perdonar? ¿Por qué? Me encanta que te gusten. Más aún; esperaba que tuvieras sensibilidad para apreciarlos.

Me asombro sin comprenderla del todo. Añado:

—No son sólo los zapatos.

No me he atrevido a pronunciar «piernas».

La llegada del *maître*, que también la conoce, corta la conversación, para alivio mío, y me permite seguir admirándola, porque dejo el menú a su decisión. Sentirme en sus manos es delicioso. No ha cambiado apenas de como la conocí: el mismo esplendor maduro y vital, su envolvente voz grave, el cuello grácil, la negrura del pelo, el fulgor de los dientes. La he ayudado a quitarse la chaqueta, dejándola sobre el respaldo de la silla y he recibido desde el escote y el cabello el efluvio de su perfume corporal combinado con *Magie*. Ahora viste su torso una sencilla blusa blanca, sin mangas. Sus menudos senos se revelan bien puestos y firmes, pero el cuerpo esbelto, de pocas caderas, da en conjunto una cierta impresión andrógina y juvenil, más excitante aún que la voluptuosidad convencional. Como mis ojos, pese a mis esfuerzos, siguen admirándola, pregunta:

—¿Me recordabas?

—Ya te expliqué cómo olvidé sin olvidar. Claro que te recuerdo, y sin esfuerzo. Incluso tu vestido: el día en que visitaste mi casa llevabas una blusa de color fucsia con una fíbula de plata como broche, con incisiones mauritanas. ¡Y pantalones negros!

—Es cierto —ríe—. También los llevé en Toledo y llamaron la atención. ¿Recuerdas que casi no me dejaron entrar en aquella capilla?

—Encarnabas la Eva peligrosa. Además el sacristán estaba en la puerta y se fijó en tu tatuaje.

—Sí. Tú también lo miraste mucho. Como ahora. Fíjate.

Me acerca el rostro, sus pómulos, su suave piel de ámbar, sus labios elocuentes, su perfume. En el centro de la barbilla el pequeño signo azul en forma de aspa.

—Me extrañó que tu madre, siendo española, te dejara marcar así.

—Esta marca me diferencia de vuestro mundo y a la vez me identifica con el mío. Mi madre cedió en parte por amor a mi padre, obligado a tatuarme según su gente pero, más aún por amor a mí, pues gracias a esa concesión obtuvo de mi abuela paterna algo muy valioso: librarme de la ablación del clítoris. ¡Ya ves si puedo felicitarme de este signo!

Me sigue contando otros detalles mientras nos sirven, tras los aperitivos, un único plato cuya delicia disfruto sin importarme. Su marido, el profesor y buen poeta, era de otro grupo Kabyla: los Beni-Yenni, orfebres de la plata. Y su abuela paterna, una de las mujeres del jeque de la etnia, era una uled-nail, justificando con su belleza, incluso en la vejez, la fama de las danzarinas del vientre de esa tribu.

—No sé si bailó así mi abuela, pero tal como la conocí inspiraba respeto y amor. Además su intuición era increíble; la consideraban vidente.

—¿Una maga?

—Sí, se conectaba con lo más arcano y profundo. Yo recibí esa herencia, tengo mucho de gurú y me resulta muy valioso para mi profesión. Al recibir a un paciente, casi siempre intuyo lo que le pasa y su posible evolución vital.

—Lo creo. Me parece más eficaz que el psicoanálisis, al que recurrí algún tiempo inútilmente.

—El psicoanálisis fue una gran aportación cultural, pero su técnica ya está anticuada y su teoría ha necesitado aportaciones nuevas, aunque lo sostienen los tradicionalistas. Se desentienden de las presiones sociales sobre las vidas individuales y quieren tratar en el paciente patologías que tienen su causa en el ambiente.

—¿Entonces tú no usas el famoso diván?

—A veces, pero no como los psiquiatras oficiales. Lo utilizo de otro modo, como las columnas de las basílicas sirvieron para construir mezquitas. A veces incluso tumbo al paciente boca abajo, si conviene… Pero es mejor un reclinatorio.

—¿Los confiesas?

—Es largo de explicar… Veo que te interesas.

—Sí; siempre eché de menos una ayuda eficaz en mi desorientación, pero no la encontré ni en los libros ni en las personas.

—Yo aplico las teorías de un grupo que practica lo que llamamos Ipsoterapia; es decir, ayudar a cada cual a vivir de acuerdo con su ser auténtico y su derecho a realizarse, sin más restricción que el respeto a los demás.

—¿Ipsoterapia? No lo he oído nunca.

—Es una orientación minoritaria, pero va progresando, pese a la hostilidad de la ciencia oficial. Proclamamos que la aceleración técnica y la artificialidad creciente de la vida, junto con la supervivencia de creencias y prejuicios arcaicos, asfixian cada vez más el libre desarrollo de las potencialidades humanas. Hay un creciente conflicto entre los instintos naturales y los condicionamientos culturales impuestos... Pero no quiero aburrirte con nuestras ideas.

—¿Aburrirme, hablándome de la lucha entre lo que uno quisiera ser y lo que te fuerzan a cumplir? ¡Pero si estás describiendo mi vida entera! ¡Si oírte me llena de esperanza!

—La esperanza es cierta, sobre todo frente a la moral convencional. En nombre de creencias religiosas la satisfacción del instinto sexual se prohíbe salvo en el restrictivo marco del matrimonio monógamo e indisoluble, regulado además en su ejercicio con preocupación sobre todo utilitaria y procreadora. Y como la realidad económica y social no permite ese enlace hasta mucho después de la pubertad, se reprime así durante años el natural deseo, se fuerzan las transgresiones y se crean miedos y sentimientos de culpa. Frente a esas creencias la Ipsoterapia prefiere reconocer la licitud de parafilias y, salvo en casos realmente patológicos, hace ver al supuesto enfermo que comportarse según su ser, sin daño para otros, es simplemente atenerse a la ley natural de la vida humana. Por tanto, en vez de tratarlo correctivamente denunciamos la falsa enfermedad y restauramos el equilibrio de su personalidad. ¿A que tú has vivido, como tantos, algo parecido?

Esas palabras, tan afines a las que vengo escuchando últimamente, parecen dirigidas al nuevo Mario dentro de mí:

—Bien sabes que aciertas. Me penetras hasta el fondo. Como si buscases algo.

Sus ojos parecen iluminados. Su voz baja de tono hasta lo confidencial y se carga de intención:

—Así es; busco lo que tú: Tú mismo, el verdadero tú, el Mario profundo.

Para que calen bien sus palabras ella establece una pausa sorprendiéndome al sacar del bolso una curiosa pipa, de pequeña cazoleta en forma de pirámide invertida y con un delgado tubo. Un instrumento de hombre, pero muy femenino.

—Espero que no te moleste el humo. Además huele bien, fíjate.

Me acerca el paquetito de tabaco y, en efecto, la hebra emite un olor voluptuoso, a miel y a especias desconocidas. Mientras sigo asimilando sus revelaciones admiro la destreza de sus manos al cargar la pipa.

Desde la penumbra surge Albert con una varilla de cedro encendida y da fuego al tabaco, advirtiéndole luego Farida que vamos a trasladarnos a la sala de fiestas. Albert se retira y ella me guía hacia un recinto más amplio, donde veo un pequeño escenario, una pista de baile y mesas alrededor. Nos sentamos tras una de ellas, en un diván para dos adosado a la pared. Farida se reclina en el almohadón del ángulo y cruza las piernas; un pie queda en alto más cerca de mis ojos.

Un piano acompañado de saxo y percusión se mantiene en un discreto nivel sonoro. Me dice Farida que a partir de medianoche hay actuaciones, pero ahora sólo bailan dos parejas.

Trato de reanudar mi información sobre las actividades de Farida, que ahora se refiere a la hostilidad contra ellos de los psiquiatras oficiales, como los de la asociación estadounidense que hasta 1973 no rectificó su error de incluir la homosexualidad entre las «enfermedades» mentales… De pronto ella se da cuenta de mi especial interés por una de las parejas de la pista y, al mirar como yo, sonríe complacida.

—Él es un cliente mío —me susurra—. Me alegro de verle aquí. Su pareja es un travestido.

La verdad es que bailan bien: el hombre, maduro pero ágil, de azul oscuro con una corbata roja y el pelo hacia atrás con algunos rizos en la nuca, se mueve con soltura y su pareja posee femenina elegancia.

Acaba la música. Los bailarines cambian unas palabras mirándonos y se acercan. El hombre saluda a la doctora y nos presenta a su amiga Roberta. Farida me presenta a mí y cambiamos unas frases sin trascendencia.

Vuelve la música con un vals. El hombre vacila y luego, enrojeciendo un poco, solicita de Farida ese honor.

Ya en la pista el hombre abre los brazos como le corresponde al varón, pero Farida se echa atrás y le oigo decir:

—¿Te olvidas de quién eres?

Pasivamente él se deja llevar por los brazos femeninos durante todo el baile. Mi extrañeza por el incidente no me impide admirar esos tobillos de Farida que danzan por sí solos, apoyándose sobre el tacón alto, cobrando impulso desde las puntas de los pies, airosos en las exquisitas sandalias. ¡Qué segura gracia, qué felina feminidad!

—¿Quiere usted que bailemos?

Oigo la voz humilde de Roberta y niego con la cabeza, absorto como estoy en contemplar a Farida. Murmura entonces una queja:

—Le comprendo; disculpe.

Reacciono y le miro de frente, cordial:

—¡No, no es eso! Es muy tentador, pero no sé bailar.

Sonríe, convencido y admira a nuestra pareja en la pista.

—¿Eres amigo de ese hombre?

—No, le estoy trabajando —me mira con asombro—. Es cliente de la clínica; me ha dicho que ella es la doctora extranjera. Yo le acompaño por horas, siguiendo el tratamiento. No le puedo decir más.

Nueva pausa y los bailarines vuelven. El caballero se inclina ante Farida e inicia una genuflexión que ella ataja con el gesto.

—Gracias, señora —dice entonces, antes de retirarse con Roberta.

Farida me mira divertida, con ojos más azules que nunca.

—En cierto modo, y sin decirte nada más, ya has presenciado un caso práctico de Ipsoterapia. Hemos transgredido los cánones del baile porque él tiene más de femenino que de varón y está aprendiendo, primero a reconocerlo y, segundo, a quererse así. Ahora se van juntos a pasar la noche: Roberta es su enfermera.

—¿Te apetece bailar? —propone tras una pausa.

—No he sabido nunca —me avergüenzo—. Soy un fracaso. Incluso de estudiante, me forzaba a intentarlo, pero las chicas me rehuían por hacerlo mal... Incluso una amiga que pretendió enseñarme desistió. Sólo bailaba algo si me llevaba ella.

—Claro.

—¿Cómo? ¿Por qué claro?

—No bastaba sólo con enseñarte a bailar. Tu fallo era inherente a tu personalidad. No sentías el papel y no lo desempeñabas bien... ¿Por qué callas? No puede molestarte. Te lo digo con afecto, con cariño; no puedes imaginarte cuánto.

—¡Oh, no me molesta! —me apresuro—. ¿Cómo vas tú a molestarme? Te lo agradezco de corazón. Tampoco tú puedes imaginarlo... Es que, por una parte, lo comprendo muy bien y lo acepto; has visto claro en mi vida.

—¡Eres tan transparente! Ya lo percibí entonces, por pura intuición, sin mi preparación de ahora. ¡Y sigues siendo tan joven, casi niño!

—Espera: por otra parte ya no es del todo así, o empieza a no ser así. Algo cambia, en mí y alrededor. Si no pareciera excesivo te diría que a ratos me siento otro... ¿Sabes? he tenido encuentros decisivos, he sabido cosas increíbles, ¡y no ajenas; sino en mi familia!... Ya te contaré si quieres escucharme.

—Claro que quiero.

—Te mostraré que me mueve un cambio... ¡Pero es tan difícil a solas! Tendría que haber maestros de vida, colegios especiales... No para enseñar a ser como todos, sino cada uno diferente.

—Ya hubo culturas con esos maestros y colegios. En China los mandarines más sibaritas encontraban muchachos feminizados bien adiestrados; lo que llamaríamos «meninas». Como Roberta, pero con mucha más naturalidad; los actores que hacen papeles femeninos llenos de perfección son restos de aquellos usos. La antropología sabe de otros casos que la cultura oficial deja en la sombra. Y, en individuos aislados, no faltan los ejemplos de quienes vivieron según eran realmente y no según se les exigía... No hay escuelas, pero eso es la Ipsoterapia. Enseñar a volar con las alas propias, las naturales prohibidas por el sistema, después de desacostumbrar a las postizas, que no permitían alzar el vuelo.

Guardo silencio. Las alas postizas ya las he rechazado; ésa es mi tranquilidad. Pero para recobrar las propias, si yo me atreviese a...

—Sí —pronuncia con firmeza, sonriendo.

—¿Qué dices?

—Digo «sí» a lo que estás pensando. Seré tu guía.

—Ni aún me había atrevido todavía a pensarlo —respondo con voz turbada, callando la verdad pues desde el encuentro anterior sólo confío en ella; ni siquiera en mí mismo...—. Pero gracias. Lo acepto, lo deseo —concluyo mirándola a los ojos.

Al cruzar de nuevo las piernas, su pie ha vuelto a quedar en alto, próximo. Doblo mi cintura hasta que mi torso toca mis muslos y beso su empeine. No me rehúye, no dice nada.

—Perdón —murmuro—. Admiro tus zapatos. No, los envidio. Y tus medias. Pero no he debido…

Alza su mano y la detiene en el aire.

—Esta mano debería azotar tu mejilla, no por el beso, sino por creerlo culpable. ¿Por qué habrías de reprimirte? ¿Acaso me has hecho daño?… ¿Ves como necesitas ser reconstruido?

—Gracias por educarme.

—En tu próximo error te golpearé. Reconstruirse es un duro esfuerzo; para hacerse buen pan hay que torturar la masa y sufrir el fuego… ¿Serás capaz?

—Sí, mi maestra. Gracias.

La mano conminatoria se posa en mi rodilla y la oprime. Me transporto a muy atrás y muy adelante; vivo en medio de un gran silencio. Fluye un tiempo diferente.

—Pero esta vez te mando un ejercicio. ¿Sabes que la caligrafía sirve como terapia? Pero esto es más: el tema. Me vas a escribir acerca de mis zapatos, de mis medias, como quieras y lo que quieras. Sé libre, sé tú mismo, no te amordaces… Y confía en mí.

—¡Oh, más que en nadie!

El trío de músicos se retira, dos empleados se mueven en el pequeño escenario, llegan otros músicos. Nos levantamos y salimos; Albert se inclina a su paso y se vuelve al telefonillo para avisar al coche.

El *roadster* está en la puerta y el portero tiende la llave a Farida. Ella se cambia las sandalias por sus zapatos bajos de conducir y arranca. Durante el trayecto no decimos gran cosa; yo trato de memorizar íntegro este encuentro. En lo alto la luz vira a un azul intenso, casi negro.

Ante el portal de casa aún me gasta ella una broma:

—¡Cómo te apresuraste a bajar cuando llegué! ¿No quieres que vea tu casa?

—Nada de eso; la tienes abierta siempre. Ahora mismo, si lo deseas.

—Ahora no. Invítame otro día a un té.

—Seré feliz sirviéndote.

—Te llamaré para quedar.

Me tiende su mano y yo bajo un poco el guante para besarla con emoción. Me apeo, pero ella no me deja cerrar aún la portezuela. Coge del suelo del coche sus sandalias y me las entrega.

—Toma; para que te inspiren.

Suena el motor, arranca, su mano me dice adiós antes de dar la vuelta a la esquina.

Ahora en lo alto se insinúa cierta claridad. ¿Acaso el resplandor de la dorada ciudad abierta?

¡Golden House!

El nombre de ese club no es un azar; no podía llamarse de otro modo. Es la Ciudad Dorada, la de los muros derribados por la Odalisca. En ella estoy, sólo aquí pueden ocurrirme tantos prodigios. No son ilusiones, tengo la prueba material, puedo besarla: estas sandalias sagradas, ahora sobre la mesa camilla, el doméstico templete para el secreto fuego invernal. Subí escaleras arriba con ellas abrazadas a mi pecho, ¿o acaso usé el ascensor? No lo sé, no me daba cuenta de nada más, sólo del tesoro en mis manos. ¡Qué instantes he vivido, qué pasos gigantescos adelante! Y al entrar en la casa otro asombro: acababa de dejar a Farida alejándose en su coche, cuando al encender la luz del salón me la encontré aquí mismo, mirándome desde la pared. Ella en persona, volviendo la cabeza sobre su hombro desnudo y sugiriendo un «¡Sígueme!». La misma del *roadster* salvo verla peinada con media melena.

Rectifiqué en seguida, claro; era el retrato de mamá, el de siempre, en su versión afectiva última, pero la primera impresión al encender la luz fue el choque de Farida esperándome. ¿Será que desde ahora voy a verla en todos los rostros? ¿Por qué no, después de lo mucho que ha inyectado en mi nueva vida? Además, contemplando esa imagen, advierto cierto parecido entre ella y mamá; no tanto si las comparo rasgo a rasgo, pero sí con semejanzas de carácter. Los ojos azabache de mamá no son los azul-grises heredados de los vándalos, pero miran también con un fulgor profundo. Y más desde que, al llegar aquí, he descubierto en el retrato el mismo mensaje de cuando mamá era mi faro y mi guía, como Farida.

¡Farida! Paladeo ese nombre, mi rodilla sigue sintiendo su mano, cuyo gesto ha vuelto ¡por fin! a tomar posesión definitiva y explícita de mí. Para eso volvió ella, para eso ha venido a raptarme en su coche. La idea de que acudió en mi busca me exalta porque en realidad soy yo quien ha vivido siempre en busca suya sin saberlo. Mi instinto lo decidió en Toledo antes de que lo razonara mi cerebro, pero la decisión se agostó por prematura, al decretar el destino el alejamiento absoluto de Farida. Ahora es mi ser entero quien la ansía, con el saber naciente del nuevo Mario, el que está emergiendo dentro de mí. Un Mario con la evidencia, ante tantos encuentros y pruebas, de que he venido aquí para reunirme con Farida, a ponerme en sus manos y acatar sus designios. Tan cierto es que hoy no sólo me ha admitido sino que me ha entregado el primer instrumento de sus enseñanzas, estas sandalias adorables, reliquia permanente, norte de mis nuevas andanzas. Las he besado, he aspirado el embriagante olor a cuero y a su perfume, me ha invadido toda su fuerza para elevarme sobre mí mismo y alzarme hacia ti, Farida, en tu servicio. Admirándolas sobre la mesa camilla de mis estudios y cavilaciones me envuelven tanto en ti que las lleno con tus pies en las medias que he besado, tan de ámbar como tu piel, y levanto sobre ellas las líneas de las piernas y el muslo mítico prometido en el Palace y el clítoris recién mencionado en tus palabras, sin duda para incorporarme hasta tu último interior... Te alzo entera sobre esas sandalias, hasta el tatuaje salvador, hasta el cabello en negra diadema, y queda tu rostro a la altura de ese retrato en el que tú también me miras con los ojos oscuros. ¡Con todo ello descubro al fin que, así como hay un Mario naciente, a la vez emerge ante mí una Farida muy superior a la que encantó a aquel niño hace medio siglo! Una Farida tierna, con lágrimas ante *Amanecer*, pero amenazadora de rigor para la tarea de hacerme.

En el fondo es la misma, claro, aunque yo descubra ahora lo que antes no vio el niño ignorante de la vida. Pero ha adquirido algo más desde entonces para guiarme mejor con unos saberes nuevos. ¡Qué sorpresa, oírla iniciarme en la Ipsoterapia! ¡Qué sugestiva esa teoría tan clarificadora de mi vida y la de tantos otros, atormentados como yo en el potro represor del natural instinto! ¡Cuántas falsedades sobre la masturbación han hecho sentirse culpables a pobres adolescentes desde los confesionarios! ¡Qué apacible humanidad he presenciado, en cambio, ante la lección práctica en la sala de baile, donde disfrutaban de la vida la atractiva Roberta y su caballero, hecho casi mujer en los brazos dominantes de Farida! ¡Cómo recuerdo a un pobre amigo mío homosexual sometido en una clínica a tratamientos para «curarle»! Claro que en otros tiempos los fanáticos ignorantes le hubiesen quemado en la hoguera.

Tantos acontecimientos demostrándome que aquí nada es azar, que todo está orientado como la flecha al blanco, empezando por esa increíble fidelidad de mi teléfono, siempre en servicio sin variar sus cifras. Sería incomprensible si no fuera como tantas otras realidades extrañas en estas Afueras y, además, aquí encaja en ese orden superior que orienta hacia una meta. La evidencia de ese orden la llevo dentro de mí en lo más profundo y por eso mi sosiego permanente actual, sin importarme lo que pueda ser este policentro: ensanchamiento moderno del Madrid periférico o creación especial para encuentros con los míos, o tratamientos, o estación de tránsito, o sala de espera. Cada persona aquí sigue sin duda su itinerario y el mío no puede estar más claro ni tener más definida su meta, después de toda una vida de desorientaciones. ¡Fin de mi confusión y mi desconcierto! Quien ha penetrado en mis profundidades mejor que yo mismo conoce por fuerza mi verdad. Por eso proclamo como el místico Hallaj: *¡Farida al-Haqq!*: Ella es la verdad. En su evangelio creo, a esa diosa me entrego, porque me busca como soy y no habré de violentarme para hacerme yo. Empiezo ahora mismo a servirla escribiendo según su deseo y me siento libre hasta de la obligación de decidir. Se la dejo a ella; sólo me mandará ser quien y como soy: absoluta mi libertad de ser estando en sus manos.

¡Sus manos! ¡Qué primorosas cargando la deliciosa pipa con el tabaco! Me recordaron las de las danzarinas de Guerba, en el sur marroquí, que sentadas con su velo en un tapiz, sólo con los ojos fulgurantes, el culebreo del torso y las insinuantes manos elocuentísimas provocan en los hombres la sensualidad. Sus manos me amasarán como el buen pan, después de triturar mi grano bajo la muela, y al fin me entregarán al fuego. ¡No me ahorres esfuerzo ni pasión! Ahora comprendo muy bien otro viejo error mío: el de creer supremo paraíso el Ras-Marif con tita Luisa. Sólo era paraíso de niños, del que ella juiciosamente huyó buscando fuego; falso edén sin hogueras, sin ardor. La verdad es que el paraíso de la vida es realizarse del todo;

ser —como me explicaba mi dios— esa chispa de la Hoguera Cósmica. Así se entregó papá a su amor de Odalisca cuando ya no lo esperaba: eso es lo que él vino a revelarme, eso significa su presencia aquí, cooperando con todo hacia mi meta. El paraíso vital no es la inocencia edénica: exige arder, padecer, abrazar el sufrimiento ofrecido, el dolor compartido. Por eso antes de ahora no amé nunca de verdad, como llegó a amar papá; impedirme ser quien era fue mi castración y así no pude arder.

No me ahorres nada, Farida, para llegar a ti. Quiero tu tortura y tu fuego, ser triturado en el molino de tu deseo, amasado en tu capricho, encendido por tu violencia. Conviérteme en pan. ¡O mejor aún, en espada! Forjada a golpes sobre el yunque, ardiendo después al rojo blanco, templada luego en el frescor del agua enamorada...

¡Ay, Farida, hazme tu pan y tu espada, aliméntate y hiere conmigo, seré como deseas! «Sígueme», dices con el retrato. «Espérame», te respondo. Voy a ti como siempre quise ir: igual a ti para que nada nos separe y así me quieras. Igual a ti.

Señora, Tú la percibiste, mi fascinación ante tus exquisitos zapatos. Y Te declaré mi envidia, acrecentada cuanto más los contemplo, los huelo, los beso, los adoro. Me han transfundido su vida. Ahora Te la escribo como me mandaste. Hablo por ellos:

Espero en el sótano de Tu armario, uno más entre los que, por pares, nos inclinamos encaramados sobre dos barras doradas paralelas, retenidos en la más alta por el tacón. De pronto se abre la puerta y, tras el inicial deslumbramiento, percibo a contraluz Tu figura y casi me caigo al ponerme de puntillas para destacar y ser el par elegido. Enfrente Tus pies descalzos, Tus piernas y el torso, que inclina hacia nosotros el relieve de los pechos y el rostro aún indeciso, cuyos ojos nos recorren con la mirada como el teclado de un piano. Mi nerviosa expectación estalla en júbilo cuando Tu mano me alcanza, me recoge, me transporta hasta Tu calzadora. ¡Qué emoción cuando Tus pies me penetran, se asientan y me poseen, sellando su poder con ligeros toques de afirmación contra el pavimento!

Mi orgullo es tanto como mi placer. Soy el pedestal de Tu estatua, Tu soporte, Tu montura, Tu reposo en tierra. Soy guante de Tus pies adorables, cunita doble para ellos, su protección y adorno. Les ofrezco el mejor cuero, el más flexible, el más digno de envolverlos, de acariciar sin roces, de ceñir sin oprimir, de abrigar sin sofoco. Me ensancho lo justo para la comodidad de la pisada y me repliego para ser sumiso en Tu descanso.

Sería feliz como cualquier otro de Tus zapatos, incluso el más humilde, pues todos gozan de tanta intimidad, pero tengo la suerte de servir para las grandes ocasiones por mi exclusivo modelo, mi cuero selecto, mi digna negritud y mi poderoso tacón de aguja. Estoy además en la joven madurez de mi vida: lo bastante nuevos aún para exhibirme y lo bastante usados para haberme adaptado a Tu forma y andares y para que mi olor originario −a tapicería de auto recién comprado− esté ya mezclado con el de Tu propia carne.

Por eso me calzas como el paladín viste su armadura; me montas para vencer como mujer. Y yo empiezo por ser Tu heraldo, el que anuncia Tu inminente llegada con las restallantes castañuelas de Tu taconeo. Me yergo para eso como el más altivo, el más amenazador y dominante de los tacones, cuya agresividad me produce dolor por repercutir en el talón de mi plantilla. Soy así repetidamente machacado, soy Tu voluntaria víctima y entonces me concedes el goce de estar sufriendo por Ti, de inmolarme voluntariamente al triunfo de Tu poderío. Me esfuerzo a cada instante por consolidar Tu estabilidad sobre mis agujas y, recibo, junto con mi dolor, a cada pisada, un placer indecible: la vibración de Tu tobillo. Esa leve oscilación que llena de gracia Tu andar imperioso y seductor a la vez; dominante y provocador a un tiempo. ¡Qué irresistiblemente avanzas, envuelta en mi ritmo sonoro!

Por eso no me cambio por ningún otro calzado, aunque en verano envidio los que llevas sobre Tu piel y juegan directamente con cada uno de Tus dedos delicados; lo mismo que a veces, por un momento, quisiera ser Tus chinelas de raso y pluma, también con tacón alto, que Te pasean por Tu alcoba y hasta el baño y que —pienso— retiran reverentes Tus amantes. En realidad, lo confieso, envidio todas las telas, cueros, pieles o metales que Te visten o Te adornan, donde quiera que se asienten en la geografía de Tu cuerpo. Y envidio, sobre todo, Tus medias, que me separan de Tu pie, y no se quedan en él sino que se elevan abrazando Tus piernas hasta allí donde sólo alcanzan fugaces visiones mías. Perdona esta osadía y no me niegues la gloria de servirte como pedestal y de cantar mi entusiasmado taconeo: La gloria de estas sandalias bienaventuradas.

Tendido en mi cama, bajo la intensa luz dorada difundida por la ventana desde el patio, contemplo la postal de Liane de Pougy, escrita hace casi un siglo. Con la abertura lateral en su larga falda la foto de la exquisita *demi mondaine* parisina es la imagen más aproximada que tengo de Farida, tal como se me reveló en el hotel, a pesar de todas las diferencias entre ambas. Después de todo, los fieles ven a Cristo y a los santos en representaciones arbitrarias y aquí, al menos, aquella visión por el entreabierto caftán sigue siendo el pórtico a mi adolescencia, arruinando el falso paraíso infantil de Ras-Marif carente del torbellino de la sangre, la pasión de vivir. ¡Qué atrás ha quedado aquel limbo! Todo es ahora diferente, empezando por mí y por Fari-

101

da. Cuando se me apareció ella era un hada buena, una princesa con azules ojos de leyenda, una acompañante para un niño que la admiraba en Toledo. Ahora... ¿Qué es ahora? Apenas lo vislumbro aún, toda una realidad nueva contemplada a lo lejos desde lo alto de la montaña que traspaso para acercarme a ella. Ahora es mujer beréber, hembra tatuada y entera, amazona a lo Eberhardt, andrógina llena de gracia en sus andares, manos de bailarina sentada, imperiosa con lágrimas... Un cambio tan completo como el de tita Luisa, que renegó del limbo para lanzarse a la aventura vital. Aunque en realidad Farida no necesitó cambiar: vivió siempre en plenitud, aunque yo en mi infancia sólo pude apreciarla en lo más externo. Ahora, sin estar a su altura, apenas iniciado, ya puedo al menos asomarme a su complejidad, gracias al aire y la luz de estas Afueras, donde florecemos los disidentes del mundo reprimido: esta reserva libre para originarios de la ciudad dorada, propicia a ideas y valores que ella alienta con su Ipsoterapia promotora de la múltiple aventura vital.

Pienso —se me ocurre— con tal lucidez, porque ocupo, tendido en paz, la cabecera del eje mayor de la casa, el extremo asomado a la hondura cerrada del patio, a lo íntimo y secreto de las viviendas. Y en esta calma suprema, casi flotante, el cuarto se me llena de claridad y me revela a alguien mirándome sonriente desde la silla junto a mi querida mesa de estudiante. Es una dama esbelta, de rostro juvenil y peinado alto, sencillo vestido largo muy elegante de falda princesa, muy bien calzada, con mirada segura en las facciones bondadosas que me recuerdan rasgos conocidos. Maneja negligente un precioso abanico antiguo, de encaje lila. De pronto me doy cuenta de su parecido con mi dios, el que se me reveló ya anteriormente.

—¡Pues claro que soy yo! —me confirma en cuanto capta mi no formulado pensamiento—. Aquí me tienes y aún más a gusto que la primera vez, porque ahora ya puedo presentarme como en verdad soy, tu diosa; es lo tuyo, mucho más que en otros. Antes todavía te ofuscaban las supersticiones que te inculcaron en la infancia y me imaginabas macho; bastante hiciste con descubrir a un dios dentro de ti mismo. Ahora ves más claro y contemplas tu verdad más honda, la última: tu dios personal es diosa. Quedas así más cerca de la raíz de la Vida, siempre femenina y genésica, en creación permanente. Espero que lo comprendas al aceptarme.

Me encantan sus palabras, su actitud, su aspecto.

—¡Cómo no voy a aceptarte y quererte! Desde luego nos inculcan que dios es padre, pero...

—Olvídalo —me ataja con un golpecito del abanico en mi rodilla. ¡Qué mano sin arrugas ni pecas seniles!—. Es para que lo almacenéis en vuestra primera memoria y adoréis al macho sin razonar. La razón os diría que un verdadero dios habría de ser asexuado o andrógino, válido para todos y todas. Pero ni siquiera es así: el dios auténtico es el de cada uno y tú me quieres como soy, auténticamente tuya.

—Sí, lo noto en mi alegría. Además, llegas en buen momento. Te necesito.

—Es natural.

—Claro, ya lo sabes... Pero antes dime, ¿acaso el mostrarte ahora femenina se debe a un progreso mío?

—¿Lo dudas? Si no estuvieras cambiando no me verías diosa.

—Lo sé, pero no me atrevo a creerlo.

—Yo, femenina, soy la prueba. Además, ya has elegido. En la Golden House.

—¿Estabas allí?

—Estando tú ¿cómo no iba a estar yo? Tendría gracia lo que cuesta desbaratar los prejuicios, si no fuera por la energía que consumimos en disiparlos.

—Es verdad. Entonces lo sabes todo y me ahorro explicaciones.

Necesito, más que nada, aclararme: a ratos estoy seguro; otros me parece imposible… Estabas también en el cine, claro.

—Sí. Vi sus lágrimas.

Me callo un momento, bajo su mirada intensa. Continúo:

—¿También es diosa, en Farida?

—Yo no estoy en ella —contesta lentamente—. Puedo decirte, sin embargo, que antes de los árabes su pueblo beréber veneraba más a las diosas y todavía hoy, entre sus etnias del desierto, al sur, la mujer tiene más libertad y más autoridad. Están más cerca de la naturaleza por su cultura y, por tanto, más próximas a lo femenino… Pero, atención: la vi y la escuché, como tú mismo, en el salón de baile, donde no lloraba. ¡No la valores sólo por sus lágrimas!

—¡Espero que no!

Ella se echa a reír:

—Me gusta tu entusiasmo. Eso va bien.

—¿Me la enviaste tú? A Farida, me refiero.

—Sigues sin entenderme. No la podría nunca enviar a ti en el sentido en que lo preguntas y, sin embargo, así ha sido. ¿Acaso no la buscaste toda tu vida? ¿No encarna lo que ansiabas, no es tu meta? Respóndete.

—¡No me dirás que es una fantasía mía!

—¿Lo soy yo, acaso? ¿Dudas de mi realidad?… «Fantasía» es una palabra con muchos grados de verdad y nunca totalmente irreal. No te supongas tan creador; solamente la Vida, la Energía cósmica es creadora. Tú eres un producto y tus fantasías son subproductos. Imaginas siempre con fragmentos reales recibidos por ti desde fuera, pero recombinados y algunos hasta olvidados en tu memoria oscura, de modo que te parecen creados. No dudes de Farida: ¿Era fantasía el pie que besaste?

—¡No!

—Entonces... —Me mira triunfante, animadora—. Reconoce que ella te importa.

—Como nadie antes —me disparo—. Ha llegado providencialmente, por eso pregunté si era tu envío, comprendo que era una pregunta tonta... Aparece tras otros encuentros que han revolucionado mi experiencia y mi visión del mundo: mamá diferente, tita Luisa redescubierta, mi padre... ya sabes... y ella emergente ante mí como un gurú, como si la hubieran avisado de mis cambios y me retrotrajera a mi pasado, al Toledo en que la conocí, para volver a empezar... Promete una iniciación, no sé cómo decírtelo...

Ha seguido mi arrebato verbal con gestos de comprensión, de confirmación, de estar enterada. Es natural; ya lo sabe. Hablo más bien para mí mismo, y al dirigirme a ella me convenzo mejor.

—Me explicas muy bien lo que es para ti: Gurú e iniciadora. Atención, son dos cosas muy distintas; prefiero la segunda. El gurú es demasiado aséptico; la iniciadora se involucra más, se la juega contigo. Para empezar es mucho mejor. Y ya ha empezado a dirigirte, con ese escrito que te ordenó redactar... Sí, claro que lo he leído, mientras lo escribías. Y he leído también lo que no te atreviste a expresar. ¿Se lo dirás todo alguna vez?... ¡No te dé apuro! Esos pensamientos son tu progreso; es decir, el mío. Soy tu vanguardia, recuerda; la avanzadilla de la vanguardia que tú eres en la evolución: tus pasos adelante son los míos.

Me siento estimulado. La contemplo como a una Nuestra Señora de los Audaces, de los Adelantados, en el sentido de los conquistadores que pasaban a Indias. Me adivina, ve mucho más lejos que yo mismo, excava lo que hay en mí sin yo saberlo. Es verdad, toda mi vida he adorado a una diosa.

—Compréndeme, no es fácil tanto cambio; a veces me desconcierto. Aquí al principio yo vivía en una serenidad flotante, todo estaba bien. Me sorprendían los hechos inusuales, pero encajaban suavemente: esa luz en lo alto, los relojes parados, los tranvías de antes, los reveladores encuentros... Incluso descubrir ignoradas verdades en familiares míos que yo había creído conocer me resultaba admisible, porque se revelaban auténticas. Ahora sigo sereno pero desconcertado pues me transformo yo mismo e incluso cambia mi pasado, al verlo bajo otra luz. La que creí mi vida no fue la mía sino la que programaron para mí... ¡Sí, ése es mi nuevo afán: quiero mi vida, la mía de verdad, no la que he representado años y años como un papel de teatro, la que era un vacío manando angustia! ¡No quiero el paraíso de Ras-Marif, quiero el riesgo y el deseo! ¡Quiero...!

Me callo el nombre de ese querer: Farida. ¿Me atreveré a pronunciarlo alguna vez? Ahora no puedo, pero es Farida. Ella es mi admiración, mi entrega y también mi deseo, mi rendición y mi avidez, reprimida porque no soy digno. Aún estoy por hacer, soy un mero proyecto impreciso, y una intención, una saeta apenas dirigida, sólo apto para acabarme en Farida, anonadarme en ella como absorbido por un agujero negro. Es también mi júbilo, mi esperanza, mi reconstructora... Me faltan las palabras en el arrebato y además... Pero la nueva idea recién surgida es más inexpresable en alta voz que su nombre.

No hace falta, la diosa escucha mi mente.

—Es natural tu desconcierto. Sobre todo pensar que a estas alturas de tu vida se derrumben los represores muros de Jericó, cuando ya dabas el juego por hecho y cerrado el vuelo del último avión... Pero precisamente es aquí y ahora donde podía producirse el desplome y tus encuentros, incluso el encontrarme a mí. Lo inesperado acaba revelándose necesario.

—Eso me sosiega. Así no tengo que elegir.

—¡Pero si la elección estaba dada! Creéis elegir y obedecéis a una

106

elección anterior: el ser uno mismo. Y tú ya elegiste hace mucho tiempo, ya te lo he dicho, aunque la camisa de fuerza en que te metían te impidiese ejercer la opción y vivirte. Es aquí donde eres libre y quieres por fin ser lo que eres.

—¿Qué?

Ríe francamente.

—¿Me crees tonta? ¡Si lo has gritado! Quieres ser sus sandalias, su pan, su espada, su menina...

—No hay escuelas de meninas —sonrío, sereno, conquistado. Pero añado, tímido—. Dime, ¿tendré tiempo para eso? ¿Tendré fuerzas?

—¿Fuerzas? Lo más difícil ya lo has hecho: derribar los falsos dioses. Y el tiempo ¿importa algo cuando no hay relojes que te lo roben aquí en Las Afueras? No te preocupes por el tiempo, querido. Y hasta pronto.

Concluye su presencia. Parece haberse desvanecido progresivamente, quedando sólo el abanico sobre mi mesa. La luz sobre el patio declina, como si no hubiera podido sostener la intensidad con que nos venía iluminando. Me siento cansado del esfuerzo por penetrar sus palabras y porque se adentren en mí, pero exaltado a lo más alto. Como si acabara de llegar yo el primero a la meta de una carrera decisiva.

Regreso a casa de un paseo que creía me llevaría a Ras-Marif, movido por la curiosidad de comprobar si también había cambiado aquello. Me pareció estar siguiendo el mismo sendero que traje cuando vine desde allí, pero no me condujo al poblado, sino a otra playa diferente, más abierta, sin el alto promontorio de los fortines abandonados. Quizás no ha desaparecido Ras-Marif; pero no he encontrado el camino. ¿O acaso ya no existe? Para resolver mi duda sería preciso encontrar aquella playa. ¿Estará rasa, sin ningún vestigio del poblado? ¿Quedarán ruinas o seguirá como entonces? La incertidumbre no me intranquiliza y en ello tengo otra prueba de mi cambio interior: no reniego de aquella infancia, pero es un pasado definitivo.

De pronto, ante mi portal, me aborda un «continental»: el mismo chico del bar de Chelo que me avisó del hallazgo de las postales. Se cerciora de mi identidad y me entrega un pequeño paquete.

Algo me dice que viene de Farida —el muchacho lo ignora— y subo los escalones de dos en dos por no esperar el ascensor, más lento para mi prisa que nunca. Abro, cruzo el pasillo, entro en el cuarto moruno, enciendo la luz multicolor de la linterna de cobre. Me siento en el diván, frente al arca que pintó papá con anilinas copiando ornamentaciones geométricas de estilo norteafricano. Rompo la envoltura exterior, que sólo lleva mi nombre y dirección —¡pero es su letra, sí!— y descubro ¡un par de medias en un sobre de celofán! Lo abro y retengo las prendas, que se desdoblan y resbalan en mis manos como desperezándose. Son de las de banda elástica abrazando el muslo para sujetarse solas; el color un matiz topo muy elegante, algo más oscuro que el de las llevadas por Farida en la Golden House. Al tacto son suaves y excitantes a la vez: son lujo, delicia, sugerencia, provocación. Advierto en la alfombra una pequeña cartulina que acompañaba a las medias y cayó en mi prisa por abrir el paquete. La recojo y leo:

«Por tu inspirado cántico a mis sandalias te perdono tu osadía, enviándote la prueba mientras me esperas. F.»

Permanezco inmóvil, acribillado de ideas, impulsos, emociones. ¿Qué hago, Farida? ¿Qué piensas de mí, qué pretendes? ¿Qué deseas, qué mandas? ¿Qué soy a tus ojos, qué puedo ser, a qué me atrevo? ¿Es esto una ilusión o un reproche?

Mi mente no resuelve, no se decide, pero mi cuerpo sí. Dejo de pensar y actúo con mi carne y mi sangre, sin análisis previos. Reverente, beso las medias y admiro un momento mi mano bajo su transparencia; parece la mano de ámbar de Farida, transmutación de la mía. Me traspasa la emoción. Mi cuerpo decide por sí solo, mi pensar viene después, observando lo que él hace. Mis gestos evocan el ritual del torero vistiendo el traje de luces.

Dejo las medias sobre la mesita moruna, me descalzo, me desnudo de cintura abajo y por arriba sólo me dejo la camiseta de verano, sin mangas, azul pálida en punto de algodón. Su borde inferior apenas roza la ingle; si me inclino muestro las nalgas, por delante casi es visible el sexo. Obedezco, Farida, mi cuerpo me guía. Cojo una media, la enrollo con ambas manos, poco a poco, según lo he visto hacer, carreras no, hasta llegar a la zona del tobillo. Introduzco el pie con cuidado, lo asiento bien dentro y comienzo a subir a lo largo de mi pierna, que va cambiando de color y casi de forma, mejor torneada. Sube el nivel como una marea tranquila, acariciándome con creciente inundación placentera; el tacto sedoso se vuelve crepitación eléctrica, grato rozamiento en la pulpa de los dedos, en la mano ávida. Alcanzado el muslo la estiro, la redondeo, contemplo el encaje elástico ciñendo mi pierna no lejos de los testículos: me ha enviado Farida una talla XL. Escucho mis latidos, mi cuerpo entero está atento a esa delicada opresión sobre mi carne, recuerdo permanente de mi adquirida condición y se pliega al asalto de algo tan femenino hacia mis genitales. Desde el encaje terminal hacia el pie mi pierna oscurecida es otra, independiente, o más bien soy yo el intruso ajeno a esa pierna... ¿Debo seguir, Farida, o acaso me he excedido? ¿Qué va a ocurrir luego?

Mi cuerpo se rebela al pensamiento, mi mano coge la otra media, repite la operación, despacio, ahora con más conciencia, casi con ferocidad deliberada, para llevar irreversiblemente mi cambio a la otra pierna… Jadeo viéndome hacer, suspiro cuando termino y, sentado, con las desnudas nalgas sobre la áspera lana que tapiza el diván, contemplo estirados mis nuevos miembros: veo prolongarse, alejarse de mí, esas dos piernas de mujer. Ya no son cándidas y cotidianas, las únicas por cierto —en ello caigo ahora— que vi a tita Luisa, nunca vestidas con medias en Ras-Marif. Ahora son mórbidas y oscuras. Acaricio mis muslos despacio, en un voluptuoso tránsito desde la electrizante superficie de las medias a los relieves de la blonda sustentadora y, en seguida, a la suavidad de mi propia piel: contrastes táctiles provocadores que inspiran a mis manos deseos de seguir más arriba. Cruzo las piernas ¡delicia del rasguido!; las descruzo para repetir ese placer en los muslos y en el oído; doblo una pierna encima del diván y me siento sobre ella mientras la otra cuelga hacia el suelo: así mi culo reposa sobre la suavidad de la media doblada y ella responde como una caricia rasgueada… Juego con esas piernas que tan vestidas parecen ajenas; acabo por poner los pies, doblando ambas, sobre el diván, abarcándolas con mis brazos y apoyando mi mentón sobre las rodillas, lo que añade a mis placeres el olor de estas nuevas prendas. Cierro los ojos: Vivo, nada más, nada menos.

Desde el placer, desde la identidad, ya no me resisto a pensar. ¿Cómo será andar con las medias, llevarlas todo el día, sentir sin cesar su caricia, dulcemente opresora? Freno la tentación de ponerme en pie: descalzo con ellas no, bajarlas al suelo no; aunque las mujeres lo hagan, yo no tengo los mismos derechos. Pero las sandalias de Farida siguen en mi alcoba ¿cómo llegar hasta allí? Además —me aterra mi propia idea— ¿qué audacia sería esa de ponerme sus sandalias? No me las dio para usarlas como cualquier cosa, y aunque estoy viviendo una ceremonia ritual, con actitud trascendente, no puedo tomarme esa libertad no concedida… Sin ponerme de pie me quedo inmóvil. Mi mirada se fija en el arcón de enfrente, el cofre de los recuerdos, allí está todo… ¡Sí, también los zapatos! Los de mamá, los que me dejó en su primera visita, los que usó como primera actriz en *El rosal de las tres rosas*. Un vago aviso interior me susurra que también son sagrados, que tampoco me ha sido permitido… pero no puedo detenerme. De rodillas por la alfombra avanzo un par de metros y abro la decorada tapa: allí están, tal como los dejé. Vuelvo con ellos al diván. Me los pruebo: mis pies entran bien. Me levanto, erguido sobre el suelo: me sirven los zapatos. Mi cuerpo paladea la postura inusual, mis músculos gemelos se recargan, mis nalgas se alzan levemente —lo noto en mí aun no viéndolas—, la curvatura de la columna se modifica. La marea de las medias ha subido así por todo mi cuerpo, los ojos se me cierran para sentirme más en mí mismo, para entregarme a mi transformación: mi asombro inmóvil es febril.

Doy unos pasos, salgo de la alfombra; otro sentido se suma a mi placer: el oído, gozando el taconeo. Vacilante, sí; muy cuidadoso del equilibrio, pero eso mismo agudiza mi excitación. Mis ligeros ladeos a un costado o a otro, los involuntarios escorzos de los tobillos me confirman en estado iniciático, armonizan con mi estremecido ardor, mientras un golpe de tacón sigue a otro: mazazos reiterando la voluntad de mi cuerpo en afirmarse como se siente. Imagino el aire antiguo de este interior doméstico, estupefacto ante lo inimaginable.

De pronto, muy vivo, un recuerdo. El niño imita los giros de una cupletista con sus pies metidos en los zapatos de tacón de mamá y rompe a llorar porque ella se los arrebata con un azote, gritándole que los niños no juegan así. Papá ríe, mamá regaña a papá, «lo que faltaba, que le animes encima». Papá se pone serio y dice que mamá tiene razón: son cosas de niña. El pequeño llora la injusticia de la vida: esos zapatos son más bonitos y hacen más alto.

El recuerdo me ha detenido en mitad del pasillo, cuando me proponía verme en el gran espejo del cuarto de baño, porque al otro extremo de este eje largo de la casa se encuentra el cuarto de estar: es decir, mamá. Imposible volverle la espalda en la dirección opuesta; he empezado esto y he de seguir.

Con mis latidos golpeándome avanzo hacia el salón; los golpes de tacón me parecen más opacos. Me detengo en el umbral; no distingo bien dentro, la luz por la ventana es muy escasa.

—Mamá —aguardo en la puerta un instante—. ¿Me ves?

No oigo nada. Si acaso, oigo a la casa entera queriendo oír, igual que yo.

—Sé que estás ahí, como siempre... Mamá —amanso mi voz aún más—, ¿estás enfadada?

Sigue hueco el silencio. No lo soporto y alargo el brazo hasta la pared interior para oprimir el interruptor. La luz estalla como un relámpago, más intensa que nunca. Al fondo, en la pared, mamá en su retrato. «Ayúdame, papá», invoca mi pensamiento, como una jaculatoria.

El retrato parece indiferente pero, al menos, no es el de aquellos tiempos de su huida hacia la soledad. ¿Expectante?

Doy unos pasos al interior del cuarto y siento cruzar una frontera de riesgo, como cuando el sheriff de mis películas del Oeste entraba en el *saloon* a resolver la cuestión.

—Éste no es aquel juego, mamá; esto es verdad. Tampoco es una traición contra ti, como no lo fue en Toledo. Pues ya sé que tu jaqueca aquel día era una excusa y también sé por qué me arrebataste la mano de Fátima.

¿Hay una fugaz sonrisa en el retrato, viéndose adivinada?

—No te traiciono. Al contrario, me acerco a ti como nunca. A través de las medias de Farida siento tus zapatos. En ellos tú eres mi apoyo, mi soporte, mi pedestal. Estoy a la vez en Farida y en ti. Y, ya ves, mis primeros pasos han sido hacia ti. Mis nuevos primeros pasos.

No hay duda: es el retrato de ahora, el que me he encontrado aquí en Las Afueras, en donde vivimos los otros. El que desde mi llegada está diciendo «Sígueme».

—Eso hago, seguirte. Mírame bien. Comprenderás que soy así. Me querrás así, mamá, y nos querremos como nunca. Encontrándonos, por fin.

Nos miramos ambos en silencio y, al cabo, ya sosegado, feliz, apago la luz. Hasta el aire de la casa vuelve a su calma.

¡Ahora sí que resuenan mis tacones por el pasillo adelante! Desfile de pasarela, jactancia, revelación, profesión de fe. Si mamá me ha permitido sus zapatos Farida no podrá reprocharme las medias: ¿Para qué, si no, enviármelas?

Ya a la puerta del baño enciendo sin detenerme y me veo entero en el espejo. Sin darme cuenta me planto abriendo ligeramente las piernas y poniendo los brazos en jarras, los puños en mis costados. Es la actitud del vaquero del Oeste evocado hace un momento y me digo que si sostuviese mis medias con un liguero me colgarían de la cintura como los zahones del *cow-boy* o del rejoneador. ¡Unas prendas de montar!... Pero eso es prematuro.

Por de pronto ahí veo quién soy, en pleno cambio: el que fue y el que está siendo. Veo mi cara con mi edad, pero también la delicadeza de mis brazos desnudos, nada musculosos pues nunca los ejercité. Mi torso es azul pálido y debajo dos muy blancos segmentos de muslos sobre unas piernas vestidas con elegancia, bien formadas, plenamente femeninas hasta los zapatos de gala con su diseño nostálgico. El Mario que está siendo se yergue sobre esas piernas y taconea imperioso, más fuerte que las viejas ideas inculcadas. La emoción encendida al vestirme las medias invade todas mis fibras, anegando incluso mi pensamiento. Y reina también en mi bajo vientre, escarabajeando en mis genitales. No es una erección, no; pero descubro el glande y me encuentro mojado. Últimamente pensaba que eso ya no me iba a suceder nunca más, pero mi cuerpo decide de otro modo. Ahora mi vida está en mis piernas y viene de ellas, porque ellas gozan la caricia de Farida. La felicidad me arrebata.

Los relojes no andan, el tiempo no se cuenta, pero este no-tiempo sin Farida es un doloroso vacío. Desde la noche en la Golden House sólo dos islas me han acogido: mi diosa y las medias de Farida; sólo en ellas he estado vivo; fuera de ellas soy un buque fantasma en medio de la niebla. Vuelvo y vuelvo al Pub porque allí me consuelo melancólicamente evocando mejor a Farida y reviviendo aquella noche; sobre todo mi irreprimible beso, atrevimiento al que sin duda debo su sagrado regalo de las sandalias. Aún me asombra mi gesto, tan contrario a mi anterior actitud vital. Antes imaginaba osadías frente a otras personas y luego, a la hora de la ejecución, me quedaba cohibido, paralizado. Junto a Farida digo lo que no tenía preparado…

—¿Es usted el señor Mario? —pregunta el camarero a mi lado.

Tras mi asentimiento me entrega el teléfono portátil que lleva consigo y me anuncia una llamada. Me brinca el corazón: sólo puede ser ella.

—No te encontré en tu casa y pensé que estarías ahí.

—Aquí me tienes. Esperando tu llamada y ansioso de decirte mi gratitud por tu regalo.

—¡Ah! ¿Te gustaron las medias?

—Con pasión… Ante todo son un regalo tuyo ¡y tan personal!… Además, exquisitas. ¡Qué color, qué suavidad! Da gozo verlas.

Breve silencio y tono de incredulidad.

—¿Verlas? ¿Es que acaso no te las has puesto?

—Pues bueno, sí… ¿Hice mal?

—¡Al contrario, me habías preocupado! ¿Verdad que visten mucho?... Y supongo que no te dejarías puesta la chaqueta ni nada.

—Una camiseta... —casi noto un suspiro de disgusto y me apresuro—. Era azul pálido, no me cuadraba desnudo del todo... Quedaba bien, en el espejo parecía una camisola.

Ríe suavemente. Por mi voz compungida, estoy seguro.

—¡Ah, en el espejo! Te admiraste, menos mal... ¿Te divirtió? Cuéntame todo. Desembucha.

Su tono es cordial, fingiendo el rigor de una orden, pero la palabra casi me sobrecoge. Exactamente un enérgico «¡desembucha!» era la voz de mando de mamá para hacernos confesar, a papá y a mí, lo que ella sospechaba que quisiéramos ocultarle. ¡Ese vocablo en labios de Farida!

Desembucho. Resumo mis emociones, le doy todos los detalles sobre la sensualidad que provocaron, mi desfile de pasarela, mi taconeo. Le oculto, sin embargo, mi presentación a mamá, mi explicación ante su retrato, aunque hacerlo así me deja con sensación de culpa... ¿Se dará cuenta ella? Quizás por esa omisión mi relato me parece frío y temo que lo note:

—Al contártelo no logro expresar mi enorme emoción. Parece todo artificioso, una historia de travestido, una vulgaridad.

—No digas tonterías —me corta ásperamente—. Estás lleno todavía de prejuicios. Travestirse es una elección nada artificiosa; es más verdad que llevar el traje forzado por los usos. ¿Acaso te sentiste disfrazado? Si fue así no creo en esas emociones tuyas.

—¡Por favor, créelas! No me sentí disfrazado. Me sentí otro, sí; diferente, pero más yo mismo... No te enfades...

—¿Dudaste mucho antes de hacerlo?

—Ni un momento —exclamo en el acto—. Ni lo pensé: me salió del cuerpo.

115

Su voz vuelve a ser afectuosa, convencida por mi inmediata reacción.

—Entonces no era obrar mal… ¿Y mis sandalias?

—¡Oh, no! No me atreví a ponérmelas… No estoy a su altura. Lo sé, de verdad.

—¿Anduviste descalzo? No te asustes, yo ando mucho así por casa, y también descalza del todo. Costumbres del harem.

—No; esas medias necesitaban tacón… Bueno, me pareció. Me puse unos zapatos de mamá.

Le explico que datan de una función de teatro y cómo llegaron a mis manos. Mientras hablo me pregunto cómo reaccionará ella: ¿le parecerá una traición, como a mamá le parecieron las medias? ¡Pero si estaban juntas, éstas y el calzado!… Pero no parece contrariada. ¡Cuánto más me gustaría este diálogo cara a cara! El teléfono me cohíbe; me falta la expresión de su rostro y sus ademanes.

—Ahora comprendo el taconeo… ¿Te resultó difícil andar así?

—Sólo los primeros pasos… Bueno, es un tacón alto pero de carrete, no de aguja. Más fácil, supongo. De todos modos, ¿cómo me adivinas siempre? ¿Cómo me conoces tanto?

—Conocer a las personas es mi oficio. Además, soy un poco vidente, ya te lo dije… Y sobre todo, te conozco desde hace mucho tiempo. Ya a los trece años estabas muy definido y tengo buena memoria… Luego las cartas, noticias tuyas… Por eso sabía que necesitabas las medias, ¿me entiendes? Quería que te dieses cuenta viéndote vestido con ellas.

—¿Vestido?

—Vestido, sí; ese otro Mario del que has empezado a hablarme. El que confiesa que se las puso por exigírselo su cuerpo y que desfiló triunfante por la pasarela… Para que lo sepas: mi regalo fue una prueba y has respondido bien, aunque tu prejuicio sobre el travestismo me hace pensar que mi envío fue un poco prematuro. Pero me alegro de haberlo ensayado. No tardarás en seguir haciéndote.

—¿Haciéndome quién?

—Tú mismo. El auténtico Mario, el que viste con sus medias en tu espejo. En realidad el de siempre, aunque estuviera escondido bajo el Mario convencional, como las pinturas galantes de una alcoba que se cubren con cal para convertirla en oratorio… ¿Me comprendes?

—Creo que sí, pero no sé hasta qué punto; o quizás es que no me atrevo… ¡Ayúdame!

—¡Claro que te ayudaré! Eso estoy haciendo.

Su voz me llega clara, prometedora, cuando añade:

—Me conmoviste en Toledo. Ahora te guiaré yo. Te enseñaré a bailar, como te dije en el Golden House, pero la danza de la vida. Te lo digo como médico; con cariño, pero como médico. ¿Te dejarás llevar?

—¡Con los ojos cerrados! ¡A donde quieras!

—¿No sabes adónde? ¡Si ya te lo he dicho!

Su voz de violoncelo es más insinuante que nunca. La mía es temblorosa:

—No me atrevo a esperarlo, aunque me lo hayas revelado.

—Lo repito: Te llevaré hacia ti.

No sé cómo me atrevo. Es otra vez mi cuerpo, de repente, sin pensar.

—Prefiero ir hacia ti.

Susurra, como si estuviera a mi lado, como si no nos separase la distancia:

—¿Todavía no sabes que es lo mismo?

El silencio de ambos es uno solo; aún nos acerca más, quiere que piense en ello, que me penetre, que nada me distraiga de esas palabras. Vuelve a hablarme en tono cotidiano:

—Dejarte llevar será ponerte en mis manos, te lo advierto. A ojos cerrados, tú lo has dicho. Profesión de por vida. Como un noviciado. Ingresas de postulante y soy tu Madre maestra.

De tan contento bromeo:

—¿Una escuela de meninas?

—Una clase particular, pero prácticamente lo mismo, en curso intensivo —bajo su tono amable late una intención firme—. Como un noviciado con iniciación y sacramentos, con sus etapas: postulante, oblato, novicio, profeso... Será duro: labrarse a sí mismo no es fácil; habrá pruebas dolorosas. Lo sé porque lo he vivido en mi carne: un convento es como un harem, sólo que con otro Señor. Pero conmigo tú lo conseguirás, no temas... Y ahora, puesto que las medias te exaltaron demasiado, te mando que no las uses a diario; acabarías trivializándolas. Has de conquistarlas tú; todavía no te das cuenta de lo que exigen. Sólo te permito vestirlas en tus solemnidades. Ya sabes, santificar las fiestas.

—Pero aquí ¿cuándo es domingo?

—Cuando lo sea dentro de ti. Que sientas tus medias como alas en la espalda de los ángeles... Y ahora he de dejarte; me espera mi consulta. Seguiremos hablando en tu casa. ¿Cuándo me invitas?

—Cuando quieras.

—Entonces mañana por la tarde. Anuncia la radio una buena luz azul dorada.

—Pero ¿cuándo es mañana?

—Después de tu próximo almuerzo. Espérame.

El clic nos incomunica. ¿Por qué ahora me restringe el uso de su propio regalo? ¿Sospecha que le oculto algo, adivinándome como siempre? No debí omitir mi presentación ante mamá. Fui torpe, aún no piso seguro mi nuevo camino. Pero me he puesto en sus manos y no quiero tener reservas, sino entregarme a fondo.

Las alas del ángel… Farida a punto de llegar y todavía no he decidido si recibirla con mis medias bajo los pantalones o sin ellas. Ahí están, dobladas sobre mi mesa, convertida en altar porque encima reposan sus sandalias. Mis alas, ¡cómo volé con ellas! Desde luego hoy es fiesta, por visitar ella mi casa, por su advenimiento. Pero ¿soy yo un ángel? Me siento tan en mis comienzos que no me atrevo a tomar iniciativas. Ya me advirtió que no las trivialice. Desde que la aguardo estoy sin decidirme. Quiero sobre todo demostrarle mi entrega, ese «ponerme en sus manos», pero ¿cómo lo probaré mejor? ¿Esperando pasivamente sus instrucciones o poniéndomelas para testimoniar mi júbilo y confirmarle mi dependencia?… Al fin me inclino a esperar, pues ya casi no me da tiempo, porque ella es muy puntual. Pero ¿y si me equivoco?… No, ya no queda tiempo. Las guardo y me lanzo al agua como estoy: nerviosísimo.

Me voy a la cocina a ver si todo está a punto: Tetera, tazas, platitos, cucharillas, servilletas, bebidas, galletas y pastas… Lo he comprobado muchas veces. El tictac del reloj de pared suena más fuerte que nunca. No, no es eso; son los latidos en mi pecho. El reloj, como todos aquí, está parado… Me pondré en la ventana a verla llegar, a evitarle la espera. En ese instante, el timbre de la puerta.

Corro por el pasillo, abro, le doy la bienvenida. Me tiende la mano y la beso. Me sorprende su gorro de astracán, otomano moderno a lo Kemal, muy propio de su rostro exótico. La ayudo a despojarse de él y también de un tres cuartos ligero, bajo el cual aparece con un vestido magenta de chaqueta y falda recta. Percibe la extrañeza en mi mirada a sus botas cubriendo casi hasta las rodillas sus medias ceniza y me explica que viene directamente del campo. Me pregunto un instante qué campo será ése, pero estoy demasiado ocupado en atenderla, indicándole en el pasillo la dirección hacia la salita.

Ella se detiene, sin embargo, ante la puerta del cuarto moruno y enciendo la luz. Asiente con la cabeza, sonriendo:

—¡Ah, lo recordaba!... Me sorprendió encontrar este rincón en una casa madrileña, aunque por las cartas de tu padre a mi marido debía esperarlo... Ahora lo recuerdo todo: tu madre y yo nos sentamos en ese diván, los dos hombres en las butaquitas, tú en ese puf sobre la alfombra... ¿Tienes aquí las postales?

—No, las guardo en el despacho de papá.

Aún dedica al pequeño recinto una intensa ojeada antes de cruzar el pasillo hacia la puerta de enfrente. Allí admira sobre todo los libros en árabe y elogia la selección de místicos sufíes reunida por papá. Señala la caja de postales.

—¿Dónde están las de mi tierra?

—Aún no están todas clasificadas, pero verás las que quieras. Aunque mejor en la salita, estaremos más cómodos.

Le señalo la dirección y avanza pasillo adelante. La sigo y a poco tropiezo con ella porque se para bruscamente en la misma puerta al ver enfrente el retrato de mamá. ¡Así me detuve yo días atrás exhibiéndome con mis medias y los zapatos de tacón! Me sobrecoge un temblor por la conciencia de mi doble culpa: mi rebeldía ante mamá y mi hipócrita silencio ante Farida. Me pone tenso ahora su inmovilidad y el silencio expectante de la casa, como si oyera lo que se dicen entre ellas. ¿Se ha enterado Farida? ¿Qué está pasando?

Nada, al parecer, pues Farida penetra en la salita y se sienta en la butaca de mamá, bajo el retrato. «Como si hubiera obtenido permiso o se lo hubiera tomado» pienso tontamente, todavía nervioso, proponiéndome confesarlo todo en cuanto haya ocasión... Pero, atención, me está ella repitiendo su pregunta de cuándo se fotografió mamá.

—Sí. Era entonces más joven, poco antes de casarse. Fue a un fotógrafo francés que acababa de instalarse en Melilla.

—¿Cuando escribía en el periódico y le entusiasmaba Rachilde, la novelista francesa?

—Sí, era su admiración, casi su modelo. ¿Cómo lo sabes?

—Poco antes de nuestro viaje a París y España con mi marido yo había leído su novela *Les Hors Nature*, y me resultaba incomprensible, con mis criterios de jovencita beréber. El relato de un incesto, pero entre dos hermanos varones, nada menos, ¡figúrate!... ¿Conoces la novela?

—No. De Rachilde sólo leí, más tarde, *El demonio del absurdo*, unos cuentos traducidos al español, creo que por Ricardo Baeza.

—Tras aquel viaje yo iba a empezar a dar clases en la universidad y pensaba en posibles tesis. La impresión producida por la novela y los comentarios de tu madre me sugirieron a Rachilde como posible tema, porque, además, su prosa era admirable, pero no me decidí... Además, pasado el tiempo también tu madre se desinteresó de Rachilde.

—Es verdad. Entonces leyó mucho a Pierre Loti: *Pêcheur d'Islande*, *Ramuntcho* y, sobre todo, *Les Désenchantées*, sobre las odaliscas del sultán turco cuando la revolución las liberó del harem de Estambul.

—Lo sé. Nos escribimos las dos hasta tu boda, contra la cual la previne, anunciándole que acabaría mal.

—¿Cómo podías saberlo? —me asombro—. ¿La Ipsoterapia?

Rompe a reír:

—Nada de eso y además no es un arte adivinatoria... Por entonces aún no seguía yo esa escuela científica, pero ya ejercía de psiquiatra y tenía ricas experiencias. No, me bastó conocerte en Toledo y luego tus cartas, aunque fueran más espaciadas que las de tu madre. Pero sobre todo, las de ella, cuando me contaba vuestra vida. Era fácil saber que no eras el marido para aquel matrimonio. Se lo anuncié y ella me contestó con una carta muy dura, y no volvió a escribirme más. Comprendí que yo la había herido en una llaga muy profunda;

121

con el tiempo supe cuál… Tu madre era una personalidad muy fuerte.

—Sí, por eso la otra noche necesité…

No era ésta la ocasión, pero estoy tan obseso por reparar mi culpable silencio y me ha hecho tan vulnerable su análisis de mamá que se me ha escapado la frase. Ya no tiene arreglo: la siento alerta en el acto, como los perros de muestra en una cacería.

—¿Qué pasó la otra noche? ¿Es que me ocultaste algo?

Inclino la cabeza, abrumado.

Ella se yergue en el sillón, vertical la espalda. Su rostro, impasible, es un ídolo de ámbar. Su voz suena dura, metálica. Señala la alfombra junto a ella, con un gesto imperioso:

—Entonces, novicio, confiésate ante tu Maestra como es debido.

Me arrodillo, la mirada absorbida por sus relucientes botas de montar. Pero su mano levanta mi barbilla para que mis ojos no eludan su rostro impasible. Mi hablar es vacilante:

—Al contarte lo que hice en la noche de tus medias te oculté que primero vine aquí y me planté frente al retrato. Callado, un tiempo.

—¿Para qué?

—No lo sabía. Necesité hacerlo.

—Algo pensarías… ¿Pedirle permiso? ¿Presumir? ¿Desafiarla?… ¡Vamos, desembucha!

Alzo la vista y por sobre la cabeza de Farida veo el retrato. ¿Qué quería yo decirle entonces?

—No busques fuera la respuesta: cierra los ojos y búscala dentro de ti.

Obedezco. A oscuras oigo la pisada de sus talones. Se ha puesto en pie. Me apresuro:

—Quería explicárselo… Que lo hice por necesidad… Que no se enfadara… y también por cariño, sí, por cariño… No sé más, yo no razonaba.

—Ahora sí te creo.

¡Qué alivio, esta otra voz humana que me llega! Abro los ojos y alzo la mirada, pero no veo lo de antes. Al ponerse Farida en pie tapa el retrato y en lugar de éste veo su rostro. Unos ojos aplacados, el ídolo de ámbar se dulcifica.

—¿Por qué me lo ocultaste?

—Es que… ¡Compréndeme! ¡Deseo tanto acertar contigo, tanto!

Termino ahogado por la congoja, casi en un sollozo. Me derrumbo y me abrazo a sus botas, mi sien contra su rodilla.

Farida vuelve a sentarse. Sobre mi pelo su mano es caricia un momento. Me aparta con suavidad; quiero creer que con ternura.

—¡Ay niño, niño…! Escúchame ahí sentado, en la alfombra. Acertar conmigo es muy fácil: Entrégate. Entrégate sin reservas, ¿me oyes? ¡No pienses! Tu cuerpo y yo pensaremos: ésa es la regla de oro. Un novicio no oculta jamás nada a su maestra. Disgustarme es menos grave que callar.

—¡Oh, perdón, perdón!… ¡Es que te veo tan arriba, tan superior a mí!

—No vuelvas a pensar eso… ¿No estamos aquí juntos? ¿No me ves a tu lado, acercándote a mí?

Ahora mi sollozo es dichoso. Intento abrazar sus rodillas otra vez pero lo impide. Un silencio durante el que me voy calmando.

—Ya pasó todo, ¿verdad? ¿Resistirás otra prueba?

—La que sea, gracias… Castígame, me lo merezco.

—No te pienso castigar, por el momento. Voy a hacerte un examen, pero antes necesitas una operación. Abrirte, sacar el absceso que tienes dentro y aún te lastra… Yo no pensaba aún hablar del tema, pero ha surgido. Veamos: ¿Qué temías ante tu madre? ¡Habla! Sin reservas, recuerda.

—Que no me quisiera.

—¿Por qué? ¿Por vestir medias?

—Siempre me prohibió cosas que me gustaban… ¡y yo era tan feliz aquella noche sintiendo las medias en mí!… Toda la vida corrigiéndome: «Eres un hombre»… Lo sería, pero yo la adoraba, era mi estrella polar; mi ideal era ser como ella. No concebía nada más alto, nada superior.

—Y ella ¿acaso no quería lo que fuese mejor para ti?

—Quizás, ¡pero yo me quería para ella, como ella! Y siempre me lo impidió, siempre hube de vivir contra mí mismo.

—¿Siempre? ¿Incluso después de divorciarte? ¿Todos sus últimos años siguientes?

Sufro un choque: no tengo razón. Desde entonces no volvió a imponerse. ¡Fue la época en que su retrato parecía alejarse hacia la soledad! Se me encoge el corazón.

Farida no necesita que yo hable reconociéndolo. Mi actitud le basta y continúa:

—Después de su muerte ¿aprovechaste para ser como tú querías?… No, seguiste siendo como todos. Sólo aquí has empezado a cambiar; tú mismo me lo has dicho.

—Lo reconozco: yo también fui culpable.

—¡Cuidado! Yo no he hablado de culpables. Si acaso fuisteis víctimas, los dos: queríais lo mismo pero por caminos separados. Te fue imposible seguirla… Pero eso no te permite juzgarla. ¿Acaso conoces la historia de tu madre, la interior, la verdadera?

Recordando la inesperada revelación de papá me pregunto qué podría contarme mamá. Mi mente se enturbia y me defiendo contra Farida, aun sabiéndolo injusto.

—¿Y tú, la conoces? ¿Acaso por vuestras cartas? ¡Pero se interrumpieron, te dejó!

Farida sonríe ante el ataque, viéndome en el acto arrepentido.

—Sí, conozco esa historia. En parte por las cartas, mientras dura-
ron. Pero sobre todo, los datos más reveladores, por otra fuente… No,
ahora no. Te la contaré, porque te hará bien, pero cuando hayas
madurado. Entre tanto te aseguro que tu madre te quería, se volca-
ba en quererte. ¿Te basta? No vuelvas a temerla.

—¡Gracias, gracias! Y perdón por mi tono, antes.

Lo olvida con un gesto e impide que me arrodille otra vez:

—No. Ya estás más abierto pero falta el examen… Acércate,
de pie.

Obedezco sin inquietud, pues su voz es risueña.

Sus manos palpan mis muslos. Sonríe abiertamente.

—No noto tus medias bajo el pantalón.

—No las llevo… Pensé… Perdona. No me las puse.

—Creí que tomarías mi visita de hoy como una fiesta.

Juega a fingir un enfado no sentido.

—¡Oh, lo es, lo es! Te aseguro… Pero tú habías dicho que las
mereciese y yo no he hecho nada nuevo para ello.

Su expresión se hace afectuosa.

—Sí. Has confesado espontáneamente.

¡Cómo se lo agradezco! Tanto, que me atrevo a jugar yo.

—¿Habré de ponérmelas ahora?

—No hace falta… Siéntate. Me alegra que fueras prudente. Puesto que insinúas en tu escrito saber de prendas femeninas, comprenderás que las medias forman parte de una escalera de jerarquías. En
una escuela de meninas empezarían llevando calcetines, luego medias
de algodón con ligas de goma y así sucesivamente: imagina la serie.
Son prendas tan definitorias que han de usarse con reverencia, como
los caballeros su espada, según la clásica divisa: «No las vistas sin
razón ni las dejes sin honor.» ¿Me escuchas?

—Me encanta todo eso… ¡Hoy es una gran fiesta!

—Bueno, pues celebrémosla. Probemos tu té y veamos algunas postales. Quiero asomarme a mi país de hace un siglo.

En la mesita auxiliar pongo a su alcance un paquete de postales seleccionadas. Mientras las examina yo coloco en la camilla el mantel, traigo el servicio de mesa, hiervo el agua y preparo el té en la cocina. Al fin puedo anunciarle que todo está dispuesto, con la tetera y las pastas sobre la mesa. Nos sentamos a ella y, en ese movimiento, mi rodilla toca un momento la suya. Una ráfaga de recuerdos me revive la camilla encendida de otros tiempos, su misterioso fuego en la oscuridad, las piernas y los contactos. Espero inquieto su sentencia:

—Excelente, te felicito. ¿Y de dónde has sacado la hierbabuena, el té verde y el azúcar de pilón? ¿Son muy amigos tuyos en el Pub Inglés?

—Últimamente he ido allí bastante.

Bebemos un par de tazas. Alude a las postales que ha visto, contesto con recuerdos del Marruecos español y de la Melilla que yo he conocido en mi infancia, evocando la figura de mi padre…

—Cada vez te pareces más a él, tal como yo lo recuerdo —exclama interrumpiéndome y llenándome de orgullo. ¡Si supiera lo que eso supone para mí, tras haber venido él a verme!

Retiro el servicio y cuando vuelvo de la cocina me hace feliz encontrármela cómoda y relajada, fumando en la curiosa pipa que exhibió en la Golden House. Curioseamos juntos las postales. Entre las de temas argelinos se ha deslizado una de enamorados con un versito cursi en el ángulo. Data de 1909 y me recuerda las *garçonnières* de la época y el pretexto convencional para atraer a ellas a una conquista: la colección de estampas japonesas. Algo así como ahora estas postales argelinas.

—Fíjate el Biskra de entonces —me muestra Farida—. Ni un automóvil, sólo dromedarios y al fondo el Casino de Oficiales. Ahora ha vencido la gasolina: Es el centro de los paracaidistas y las tropas aerotransportadas... Esta otra es, en cambio, todavía muy típica de aduar en la montaña.

Me presenta un paisaje de Beni-Yenni: cabañas alineadas en la cresta de una loma, con cimas nevadas al fondo.

—No es muy distinto del lugar donde nació mi marido y adonde volví la última vez, para su entierro y el duelo, casi al fin de la guerra. Mis padres residían ya en Argel, pero acudíamos allí en verano a ver a su madre... Esta otra postal de Fort-National, como se llamaba entonces, ya no refleja el actual, salvo el macizo montañoso de la Djurdjura en el fondo.

Todavía picotea una galleta del plato que he dejado, con una botella de oloroso y copas, aprovechando para declararme «una estupenda ama de casa».

—Mis padres vivían prácticamente a la europea pero yo aún he jugado de niña en un harem, en la casa de mi abuelo. Nuestro patio interior era como una plaza pública para el ocio, juegos e intrigas de las mujeres. En nuestro cuarto recuerdo un gran arcón de cedro en vez de armario y, sobre todo, el olor del agua de azahar con que se perfumaban manos y ropas. Ayudé, como otras niñas, a la preparación de las aceitunas en tinajas, donde tomaban un sabor fuerte, con hinojo y otras hierbas. Las comíamos en cualquier momento. En el patio nos peinábamos unas a otras, los cuidados del cabello eran complicados. Todas llevaban el pelo muy largo y me compadecían por mi feísimo cabello corto. A mí en cambio me chocaban las manos decoradas con *henna* rojiza. Las mujeres salían muy poco del harem, aunque algo más que en las ciudades. Se iba de excursión al campo, a los montes de mi abuelo, yo me divertía mucho montando a caballo: soy excelente jinete, ¿sabes?... En aquel harem me tatuaron, de modo que he vivido en la Edad Media; mi abuelo era realmente un señor feudal, mandaba desde la silla de su caballo blanco como desde un trono.

Me conmueven esas confidencias, ese regalo de vida en sus propias palabras. Esta noche, y otras muchas, antes de dormirme la imaginaré en aquel patio, con las moritas compañeras de juego en torno a un surtidor susurrante, aprendiendo las innumerables prohibiciones para las niñas de aquel mundo tradicional, del que ella acabaría escapando hacia la vida moderna, hacia la Ipsoterapia. Se me ocurre si por la calle llevaría velo alguna vez: ¡cómo impresionarían sus ojos azul-grises! Se lo pregunto:

—No, en la Kabylia yo era muy niña y en Argel ya muchas no lo usaban, sobre todo en la universidad… ¿Y tu abuelo, cómo enviaba tantas postales desde esos sitios perdidos por el monte?

—La explotación de los bosques. El carboneo y el corcho. Mamá vivió de niña entre árboles; los monos se acercaban hasta casi la misma casa.

—Pero tu madre volvió mucho después a Fort-National.

—¿Lo sabías?… Fueron sólo unos días, después de la guerra, llamada por su hermana enferma, mi tía Luisa… Yo hubiera querido acompañarla, pero estaba entonces en plenas oposiciones para ganar mi plaza de archivero… He sabido luego que mi tía acabó mal, pero mamá no quiso darme detalles. Mi tío Juan, en cambio, me dijo que su hermana fue feliz; no sé qué pensar.

—¿Quieres juzgar tú mismo?

Su voz se llena de ternura. Le digo que quiero saber, por fin.

—El marido de tu tía tenía mala reputación, no estaba claro cómo había dejado el ejército. Era un hombre brutal, alto, fuerte, bien plantado, jactancioso, aire chulesco. Estimado por sus jefes como oficial audaz, pero socialmente indeseable. No sólo maltrataba a su mujer en la casa, sino que la humillaba constantemente en público, sobre todo ante los amigotes de su tertulia, en orgías en las que la sometía a prestar los servicios más bajos.

El nudo en mi garganta me enmudece, se me saltan las lágrimas. ¿Cómo pudo decirme tito Juan que su hermana fue feliz? Farida me deja atónito al continuar:

—No te apenes tanto: tu tía fue feliz... Estoy segura, pues lo sé por su única amiga, su confidente: una de mis parientas, acogida a la hospitalidad de mi familia por haberse divorciado de ella su marido. Enseñaba árabe a esposas de los militares franceses en la guarnición y, entre ellas, a tu tía. Por ella conozco la pasión de tu tía por aquel hombre: se sometía a todo con tal de seguir junto a él. Una caricia, una rara palabra de aprobación y una aún más rara noche de amor brutal con el marido le bastaban para «tocar el cielo con el corazón»: así mismo lo expresaba. Se degradaba voluntariamente para darle placer a él, como jactándose de su esclavitud... Mi parienta, aun contándolo tal como sucedía, no podía comprenderlo, ni siquiera recordando que en un harem aparecen conductas bien extrañas.

Le diría a Farida que mi reciente descubrimiento de papá como Odalisca y el desplome de los muros de Jericó me hacen infinitamente más comprensivo hacia los horizontes de la pasión. Pero me callo: no quiero interrumpir mi descubrimiento total de mi nueva tita Luisa.

—Ahora comprendo eso y mucho más —continúa Farida— gracias a mis propias experiencias junto a mi gran Maestra e iniciadora, de la que te hablaré algún día. No es difícil de entender para un espíritu abierto a la vida: Tu tía encontró por fin su manera propia de realizarse, y tuvo el valor de encarnarla. Puedes estar tranquilo: fue feliz en sus últimos años.

Me mira tan ávida de comunicación como una lengua enamorada invadiendo la boca de la amante, indagando signos de mi comprensión. Parece quedar satisfecha a juzgar por su sonrisa. Vuelve a repasar las postales.

—He hablado demasiado de mí, cuando yo venía a hablar más de ti, pero es que estas postales han removido mis recuerdos. Me gusta saberlas en tus manos; volveré a verlas más despacio.

—Llévatelas si quieres.

—Aprecio mucho tu oferta, pero no quiero separarlas de sus hermanas; esta caja es un mundo. Guárdalas todas juntas, ya tendré otra ocasión.

Esas palabras me entristecen porque me suenan a despedida. Farida atribuye mi expresión a otro motivo:

—¿Te da pena la historia de tu tía? Sin embargo, ella repetía a su confidente que jamás había gozado antes una vida tan plena como siendo la esclava de aquel hombre... Yo he conocido en el harem mujeres así, felices en la sumisión. Y también las he encontrado en la práctica de mi profesión. Y hasta...

Se detiene. Sus ojos sondean el pensamiento.

—¡Ah, pero no es por eso tu pena!... Ya veo, esperabas hoy algo más.

Desde su butaca se inclina hacia la mía. Me envuelve en su perfume, en la cercanía de su cuerpo.

—Hubieses preferido oírme acerca de tu noviciado, ¿verdad?

Mi respuesta afirmativa está en mi ansiosa mirada.

—¿No adviertes que hemos hablado de eso aunque no lo pareciera? Me has hecho tu primera confesión por una falta grave.

—¡No volverá a ocurrir! Y gracias por no haberme castigado.

—A propósito: el castigo no es negativo para un novicio, pero has de aprender a recibirlo. El dolor ofrecido hace sentir un goce interior; al contrario que la tortura soportada, mero sufrimiento. No te anuncio rosas con espinas, sino espinas con rosas; la flor resulta más viva, más ardiente. Recuerda que el dios Shiva es tan grande por destructor como por creador... Y volviendo a tu deseo: hemos hablado de ti, pero también de mí, de mi pasado. Cuanto más me conozcas más cerca de mí estarás, mejor me seguirás.

—¡Gracias!

—Para seguirme ahora y acompañarme luego te iré asomando a mi yo originario más allá del cual no hay otro... Mucho después de que me hayas entregado el tuyo. Porque me darás tu yo: voy a desnudarte más que hasta los huesos, ¡hasta los tuétanos!, para revestirte de una nueva carne, la del nuevo Mario.

Mi decepción se ha desvanecido. Su voz grave me inmoviliza y me arrebata a un tiempo. Vivo un encantamiento.

—Hemos hablado de ti y de mí, de tu madre, de tu tía Luisa... todos del mismo mundo, este de los afuerinos, el de la verdad vital, no de la escrita por los poderes. Pero has de limpiarte de adherencias, como esa idea de suponerte travestido.

—¡No lo pensé, fue un comentario a ti!

—Lo sé, pero bórralo. No te mandé las medias para disfrazarte, sino para conocerte. Y te las dejo para hacerte.

—No tengo palabras para decirte mi gratitud... No comprendo por qué te ocupas de mí... ¿Por qué yo? No soy nada.

—Porque soy Maestra secreta de vocaciones y a ti te identifiqué bien temprano. Porque solitario empezaste ya a desgarrar la camisa de fuerza, porque estás cambiando, porque tienes el valor de estar aquí, porque los dos pertenecemos a la misma raza de vanguardia, de adelantados en la frontera de la vida. Aún estás lejos de ser tú, pero lo eres en potencia... Sin precipitación, sin artificios, sin simulacros.

Su mano se apoya sobre la mía, posada en el brazo del sillón. Siento como si me traspasara su sangre y, al mismo tiempo que así ella se me da, también cubre mi mano, la posee.

—Es forzoso atacar primero la raíz de todo, por donde empiezan a aplicarte la represión. No se sale de esa cárcel mental por la ventana, sino por la misma puerta por donde te encerraron, para que la reconozcas y sepas que es afuera donde está la hoguera de la vida en libertad. Recuérdate de niño, ahora que comprendes cómo te envenenaron con creencias antivida mediante la educación y cómo te domaron para la obediencia a los poderes. Deja eso atrás y sitúate en esta tarde. Has confesado y ha sido un ejercicio de transparencia. Has soportado en silencio que, al parecer, yo no abordara directamente lo que querías oír. Ya me has escuchado y seguiremos, porque vendrás a mi casa; te devolveré esta invitación. Entre tanto acepta la sumisión, saboréala, entrégate como hoy. Avanzaremos jugando, lo que no significa fingiendo sino al contrario: el juego es una forma del placer, y, por tanto, del vivir. No es verdad que la vida sea sueño, como nos repiten para que la perdamos soñando con otra futura e ilusoria. Servir devotamente también es juego y vida, como tú me has servido el té. Y el sacrificio ofrecido, el que gozó tu tía en su final. Recuerda nuestro primer acuerdo: «te amasaré para hacerte pan, te forjaré para hacerte espada». Lo compartiremos, porque al forjarte me darás mi placer y mi dolor... ¿Vas viendo adónde vamos? ¿Te asusta?

—Aun entre brumas me apasiona ese horizonte... A tu lado nada me asusta. Nada.

—Así sea.

Su mano oprime la mía y se separa. Ha sido como cuando tomó posesión de mi rodilla días atrás, años atrás, acaso siempre.

—Puedes alegrarte; ha sido al fin una fiesta. Me voy muy segura de ti.

«Y yo segurísimo de ti, Farida en las alturas», pienso mientras ella se levanta y quiere ver la casa, conocer cómo vivo. Antes de dejar la salita contempla otra vez el retrato de mamá durante unos momentos, y le vuelve la espalda un tanto bruscamente. Pasamos ante el cuarto moruno y por el despacho de papá, da un vistazo rápido al baño y a la cocina y, por último, la llevo a mi alcoba, recorriendo el pasillo desde la fachada al interior. Antes de entrar se detiene y me pregunta «¿puedo pasar?», como si no lo supiera; pero no es burla, sino actitud expectante, ignoro por qué. Un esbozo de sonrisa ante sus sandalias, entronizadas en mi mesa y, al lado, la postal de Liane de Pougy, que coge y contempla un instante sin comentario. Su mirada gira en torno al cuarto lentamente. No toca el armario pero, sin vacilar, abre precisamente el segundo cajón de la cómoda donde, entre mi mejor ropa, encuentra las medias, cuidadosamente dobladas. Entonces descubre el abanico de encaje que dejó mi diosa. Lo coge, lo abre, lo maneja. ¡Qué soltura, qué maestría!

—Es precioso. ¿Y esto?

¿Cómo explicarle su origen divino?

—No pude aceptar tus postales pero esto… ¿Recuerdo de familia? ¿Tiene mucho valor para ti?

Vacilo, consternado.

—Hace poco que lo tengo. Es… bueno, una reliquia… Y quizás haya de devolverla algún día.

—¡Una reliquia! ¿Qué mejor ofrenda en vez de las postales?

Me pone entre la espada y la pared. ¿Cómo disculparme luego con mi diosa? Farida contempla mi turbación con mirada sarcástica.

—¿Ésa es tu devoción a tu Maestra? ¿Ésa tu entrega total?

Deja el abanico e inicia un giro hacia la puerta, pero me interpongo, vencido, tendiéndole el abanico en mi mano.

—¡Espera, por favor! ¡Es tuyo!

—¿Se ofrecen así las reliquias? —me reprocha fríamente, sin aceptarlo.

Sin pensar me arrodillo y sosteniéndolo con ambas manos, elevo el abanico hacia ella como se ofrece una espada. La miro suplicante. Lo coge.

—Por fin… Has estado a punto de destruir la fiesta de esta tarde. Y tu vida. La has salvado, pero otra vez no vaciles. Y, además, tendrás que explicarme la razón de tu resistencia. ¿Otro absceso que me queda por abrir en ti?

—No, no es eso. Es…

—Ya me lo explicarás. Ahora basta.

Estalla el gozo en mi pecho. Me doblaría a besar esas botas que he abrazado, pero temo excederme.

Me tiende la mano para levantarme y beso la suya. La acompaño hasta la puerta, la ayudo a vestirse su tres cuartos. De nuevo admiro su rostro bajo el gorro otomano. Le abro, me dice adiós su mano, va debilitándose su taconeo escaleras abajo. Me quedo solo: lleno de ella… ¡De repente una horrible sospecha me golpea el corazón!… Es insensata, pero me hace correr hacia la salita.

Era absurda, claro. Mamá está donde siempre; el retrato no se ha desvanecido.

¿Qué dirá mi diosa si pregunta por el abanico? ¡Pues claro que lo sabrá! ¡Peor aún, lo sabe ya!… Me duele haberlo entregado, pero no podía hacer otra cosa, es una de las espinas anunciadas por Farida en mi noviciado… ¡Qué encuentro el de hoy! ¡Cuánto sabe Farida y cómo intuye lo que no sabe! Más enterada que yo de las lecturas de mamá; es verdad que dejó Rachilde y se pasó a Loti, a las odaliscas liberadas en *Les Désenchantées*. Aún no he contado a mi Maestra la historia de papá, mi Odalisca reveladora, pero no voy a ocultarle nada. Ella, en cambio, no me iluminó sobre mamá: dejándome en ascuas: ¿redescubriré otra madre?… No me importa; gracias a Farida sé que mamá me quiere y me sigue queriendo después de haberme visto. ¿Por qué no habría de vivir también ella a su manera? Lo que sea nos acercará todavía más, porque ahora comprendo mejor, al ir haciéndome otro en manos de mi Maestra. Vamos a empezar desde la raíz, ha dispuesto, desde aquella víspera en Toledo. Sus más hermosas palabras últimas me prometen que viviremos ambos a plena verdad: «Los dos pertenecemos a la misma raza de vanguardia, a los adelantados en la frontera de la vida.» No las olvidaré en ningún momento; son las mismas afirmaciones de mi Diosa.

Otra vez debo al teléfono la seducción de su voz, imperiosa y tentadora a un tiempo, citándome para mañana temprano en su consulta; es decir, en cuanto me despierte de mi próximo sueño largo, esa especie de ocio inconsciente que es aquí el dormir, pues no siento la necesidad. Y también una vez más mi viejo tranvía se muestra puntual y eficaz, pues me lleva a la dirección indicada, en una calle tranquila y no muy ancha, bordeada de acacias y hotelitos semiocultos tras vallas con enredaderas. Más grande y con más amplio jardín es mi lugar de destino, con una verja despejada y un sendero que me lleva hasta tres escalones y una puerta verde con mirilla. Al lado una discreta placa de cobre: «IPSOTERAPIA VITAL» en rojo y debajo, en negro y minúsculas, «Reconstrucción humanista», con el logotipo formado por las dos letras del título superpuestas: La I como bisectriz de la V sugiere una flecha apuntada al cielo por la V y la empuñadura del arco es mostrada por una línea curva tendida desde un extremo a otro de los brazos del ángulo. Estoy admirando ese símbolo cuando me abre la propia Farida.

—Bienvenido, querido, adelante.

Atravieso un pequeño vestíbulo siguiéndola por una salita de espera y entro luego en su despacho privado donde ella se sienta tras su mesa y me ofrece un silloncito enfrente.

No hay papeles ni legajos sobre la pulida madera de la mesa; sólo útiles de escritorio, un cenicero, un sencillo teléfono sin contestador automático ni derivaciones. Contra una pared un armario, un antiguo archivador de madera con cierre de cortinilla como el que tuve en mi primer destino y una estantería con libros y clasificadores de documentos. Sobre ella un jarro de cerámica de Kabylia y un bronce representando un aguador de zoco, con su odre al hombro. En otra pared varios diplomas y títulos enmarcados, en torno a una gran reproducción en color del San Sebastián de Botticelli. No me detengo a contemplarlo porque en el ángulo inmediato, sobre un macetero, me grita su presencia aquel arbustillo de fucsia favorito de mamá que ella cuidaba tan amorosamente, hablándole incluso, mientras lo regaba, como a una criatura.

No puede ser aquél, claro está, pero es tan igual que lo miro fascinado mientras Farida calla y me contempla a mí, respetando mi asombro. Las flores cuelgan de las ramas como campanillas, de modo que sus corolas boca abajo, de aquel color ciclamen tan de moda en 1935, parecen faldas de menudas bayaderas cuyas piernas son los estambres, sobresaliendo con las anteras amarillas a modo de zapatitos... Me sobrepongo a mi asombro y me disculpo ante Farida que, sin comentarios, dirige mi atención hacia el Botticelli.

—¿Qué te dice ese cuadro? Es el San Sebastián que más me gusta de los que conozco: Mantegna, Perugino, Zurbarán, El Greco...

—A lo mejor lo prefieres porque su físico recuerda a los de tu tierra natal.

El asombro de Farida me envanece.

—¡Es cierto! ¿Cómo no me había yo dado cuenta?... Sí, el moreno de la piel, el pelo crespo, la mirada, la actitud fatalista...

—Yo no diría eso. Más bien aceptación con dignidad; el cuerpo no se retuerce bajo el dolor.

—Tienes razón; no forcejea con las cuerdas que sujetan al árbol sus manos tras la espalda.

—¿Qué cuerdas?

—No se ven… Quizás quiso el pintor sugerir que no hacen falta; que basta con la voluntad del asaeteado: Es lo que más me gusta del cuadro —concluye ella provocativamente.

—Ya… Por eso entonces el rostro sereno, casi irreal… Un rostro, por cierto, algo femenino.

—Me gusta que veas eso, también… No temía a la muerte, era un soldado. Pero ¿sabes que no murió así?

—¿No?

—Según se dice los arqueros le dieron por muerto, pero una viuda le halló inconsciente, le cuidó y logró salvarle… Ignoro su final… En todo caso, has visto muchas cosas en el cuadro; las más importantes. Estoy contenta. Aunque no me sorprende; tu escrito sobre mis zapatos era prometedor.

Mientras ella habla se me impone la verdad del cuadro. La flecha clavada en el muslo del santo me parece todavía más vibrante y me hace sentirme atado yo frente a un arquero tensando su arma, apuntándome, eligiendo el blanco en mi cuerpo indefenso, rendido, expectante… ¿Dónde me herirá esa flecha?…

—¡Cuántas veces el observador ajeno nos descubre lo propio, como tú ahora la africanidad del modelo!… Aunque también es bastante italiano.

—Los vándalos vivieron en tu tierra, recuerda; tú misma te declaraste bizantina y beréber, refinada y salvaje… aunque hoy no pareces ni una ni otra, con esa bata blanca profesional y en tu despacho.

—Tú, en cambio, eres el que yo aguardaba hoy. Mejor dicho, eres más: no esperaba que calaras tanto en el Botticelli. Es un test, ¿sabes?

Yo no he querido mencionar de ella sus pechos que, bajo la austera cárcel de la bata y sin ser voluminosos, consiguen destacar con sus cimas, tan firmes y bien puestas como las de una virgen gótica en madera.

Se levanta en un impulso.

—Tu acierto me decide. Ven.

A su espalda hay una puerta menor que las otras dos del despacho y por ella pasamos a una habitación que yo no podía imaginar. Ocupa un ángulo del edificio, con amplias cristaleras abiertas al perfume de las lilas en el jardín y el ambiente es el de un saloncito femenino, un *boudoir* inspirado por el *art nouveau*. Hay una consola y un *chiffonnier* muy parisinos adosados a las paredes, unas sillas a juego, un diván para dos, lamparitas y vasos de Lalique, pequeños bronces, unas reproducciones de Monet y telas alegres.

—¿Aquí son tus consultas? —pregunto asombrado.

—No, tonto —ríe, quitándose la bata para quedarse con una falda negra y una blusa amarilla—. Estamos en el área de mi residencia privada. Aquí no entran los pacientes. Tú no lo eres, sino mi novicio y éste es mi mundo propio, donde yo soy Farida y no la directora de la Clínica.

—¿Vives aquí? —pronuncio, mientras saboreo el privilegio.

—Bueno, sólo parte de mí —aclara, mientras me sienta a su lado en el divancito—. La que tú llamarías bizantina. Es decir, su heredera actual, la que te llevó al Club en su descapotable. Aquí descanso, me recupero a mí misma.

—Y la Farida beréber, ¿dónde vive?

—¿Dónde va a ser? En mi jaima del desierto, en mi tienda —concluye risueña.

—¿Tan lejos?

—¡Oh, no tanto! Ya irás sabiendo.

Concluye con una sonrisa que cierra la cuestión. En la mesita

138

adjunta al diván saca de un cajón la pipa que le conocí en el Club y la carga y enciende con el mismo cuidado que aquella noche, mientras yo me dejo embriagar por el refinado ambiente. Ella prolonga la pausa, satisfecha con mi sorpresa.

—Preciosos muebles —admiro.

—Sí, del mejor París 1900. Me los dejó en herencia la que fue mi Maestra, a quien se los legó su marido, de una gran familia francesa. Te noto a gusto.

—Mucho.

—Lo esperaba; por eso te he traído. Aunque para estudiar y trabajar a solas necesito el despacho contiguo. En este rincón prevalecen mis gustos, lo que me pide el cuerpo, las guías interiores de mi vida.

—Comprendo.

—Podría yo prestarte alguna de nuestras publicaciones para la divulgación de la Ipsoterapia, pero después de oírte sobre el San Sebastián te creo capaz de saltar ya al fondo de la cuestión. Basta con que pienses en los pies de las chinas.

—¿De las chinas?

—Ya sabes que a las niñitas de las grandes familias manchúes les vendaban brutalmente los pies para mantenerlos pequeños deformándolos hasta dejarlos inútiles. ¿Por qué? Aquella sociedad había decidido que esa pequeñez era admirable y exquisita, frente a la fealdad atribuida al crecimiento natural. En consecuencia, las madres y los médicos «curaban» la «enfermedad» del pie natural y la «corregían» según el canon de belleza oficial... Semejante barbarie duró siglos, torturando mujeres y mujeres.

—¿Y qué enseñanza sacamos de ello?

—Ahora nuestra sociedad está dominada por una mitología religiosa cuyos libros, declarados sagrados e infalibles, imponen una moral enemiga del placer carnal y tan antinatural que valora la castidad como más perfecta que el sexo dado a los humanos por su creador. Una moral que declara contra natura, aberrantes y perversas, las modalidades del placer no encaminadas a la procreación, aunque esas variantes sean espontáneas manifestaciones de la vida. No detallo más porque todo esto tú ya lo conoces.

—Así es. Pero tú ¿cómo sabes que lo he vivido?

—Tenía que ser así, tal como, sin darse cuenta, me mostraba tu madre en sus cartas… Después de tu boda, ¿consultaste a algún psiquiatra?

—Sí, y me lo encontré condicionado por sus creencias. ¡Ahora ya comprendo! Lo que yo le contaba no era «normal»; es decir, no lo aceptaba la moral oficial… Bueno, él no lo consideraba grave, pero me diagnosticaba una perversión y me imponía un tratamiento para curarla… ¡Era vendarme los pies de las chinas, ahora lo veo!… Dejé de visitarle; yo no me sentía perverso, aunque reconozco que sí me hacían sentirme culpable.

—Porque tú también estabas dominado por la moral religiosa, que te inculcaron en la infancia. La psiquiatría tradicional ya no habla de culpabilidad (algo se ha progresado) pero ha transformado los «pecados» y «perversiones» en enfermedades que sólo poco a poco va descatalogando de sus manuales de diagnóstico. Y entonces la sociedad, para seguir vendiendo los pies de las chinas, declara delitos los actos sexuales no gratos a la religión antinatural, y la represión pasa a manos de la policía…

—Lo que no comprendo es que las teorías y los métodos científicos se sometan a unas creencias dogmáticas sin justificación moral.

—Eso lo explica la historia, por la tradición, junto con la sociología, dados los intereses del poder. Ya dijo Lenin que la religión es el opio del pueblo, coincidiendo con tantos señorones de casino que afirman: «la religión es un freno». Caballeros que, en más de un caso, suelen disfrutar de una existencia abundante en placeres sin más preocupación que confesarse al final.

—Pero la sociedad ya no es la tradicional; se ha modernizado mucho.

—Menos de lo que parece, salvo en bolsas urbanas y sectores más cultos. La gran mayoría piensa, por ejemplo, que si un amante goza siendo azotado por su amada, es un perverso masoquista, pecador o enfermo, mientras que la disciplina de una monja gozando así en su celda es una sublime prueba de admirable amor a Dios. Pero todavía hoy mismo revistas tan prestigiosas como *Fortune* o *Esquire* comentan la «epidemia» que amenaza a empresas estadounidenses al nivel de sus altos ejecutivos: la afición de algunos de ellos al placer erótico que les clasifica ante los suyos como *sex-adictos* y, por tanto, como posibles denunciados a un juez por acoso sexual, lo que les lleva a someterse a tratamientos en discretas y lujosas residencias donde se «curan» tales «enfermedades»... Puedo enseñarte números de esas revistas, con serios reportajes que te sorprenderían.

—Esa aberración puritana más bien me da risa.

—El rechazo del placer no es cosa de risa. Nosotros padecemos la constante vigilancia y acoso de las autoridades «bienpensantes» por si pueden cogernos en un tropiezo y frenar nuestra actividad. Pero no nos rendimos y disfrutamos librando a jóvenes de falsas culpabilidades y tratando, sobre todo, los despertares tardíos, patéticos y difíciles, que abren a algunas personas a una nueva vida plena, cuando se les salva de la camisa de fuerza cultural.

La voz grave de Farida me acaricia con su soterrada emoción y enciende en mí el recuerdo de palabras casi idénticas en labios de mi diosa, causándome una embriaguez acunada además por el bienestar corporal, en este ambiente 1900 al que me parece pertenecer desde siempre. Ahora algunas de sus palabras finales se me han clavado vibrantes como la saeta del arquero en mi imaginado Sebastián. «Despertares tardíos», ha diagnosticado ella como si me hubiera contemplado en el portaobjetos de su microscopio, dejándome tembloroso pero esperanzado, porque «tardíos» no es «baldíos»: tengo la esperanza frente a mí.

Ella me mira como aguardando comprobar mi despertar y yo respondo a su expectativa. Salto del portaobjetos, me planto de pie sobre la tierra. Como los árboles.

—Enséñame —exclamo.

—Pide.

—Lo primero, tú ya lo sabes… Dime qué soy yo y lo que esa identidad me ofrece. Sitúame en esa tipología de variantes afectivas.

Brota suave su sonrisa.

—Eso es un buen comienzo. Aquí la tienes.

Del mueblecito auxiliar saca una hoja con un gráfico parecido a los árboles genealógicos, sólo que en él todas las sucesivas ramificaciones son binarias. ¿Lo tenía preparado ya esperándome?

En el gráfico hay pocos rótulos y sólo dos símbolos: los bien conocidos círculos que, con una crucecita abajo o una flecha arriba y a la derecha denotan el sexo femenino y masculino respectivamente. Las ramificaciones se van produciendo a distintos niveles, rotulado el primero de los cuales como «sexo», mientras que el segundo está etiquetado como «género». Miro a Farida, interrogante:

—El sexo —me aclara— está determinado por los cromosomas y los genitales, a veces con intersexualidades, aquí omitidas para simplificar. El género, en cambio, lo aporta el cerebro, especialmente el hipotálamo, y aunque la moral impuesta rechace la idea, no siempre coincide con el sexo. Hay machos que se sienten hembras y hembras que se sienten machos.

Sigo adelante por esos senderos de la humanidad, encontrando una nueva bifurcación para cada rama del género, llegando así al tercer nivel: «preferencia». Farida sigue ilustrándome:

—Con cualquier combinación de sexo y género, coincidentes o no, la persona puede sentir atracción hacia los hombres o hacia las mujeres, sean o no sus iguales, y también hacia ambos en la bisexualidad, aunque este diagrama básico no analiza esas bivalencias ni grados de intensidad, que multiplican los casos posibles en la muy compleja variedad real.

La última horquilla abierta desde cada rama preferencial no se señala con los símbolos del sexo sino con las letras D y S, iniciales de «Dominante» y «Sumiso», según aclara una nota al pie. Y ahí termina ese diagrama binario que, insiste Farida, es sólo una primera aproximación.

—Frente a las dieciséis variantes finales, el modelo oficial sólo tolera la castidad o la dominación del varón y la sumisión de la hembra en la pareja heterosexual. Los demás experimentos de la Vida se ven forzados a adaptarse, fingir, frustrarse o sufrir las etiquetas de «pecadores» o «pervertidos», con todas las consecuencias. Como escribió Jean Lorrain, «llaman vicio al placer que la sociedad no admite».

Mientras Farida me habla he ido recorriendo por esos vericuetos del gráfico mi propio sendero y he llegado al final del trayecto. Aunque el resultado no me sorprende mucho, la constatación empírica me deja pensativo. No es lo mismo intuir algo vagamente que envolver el sentimiento en palabras precisas. Por si me he equivocado, ensayo otras rutas, pero acabo rechazándolas. Lo sabía y, sin embargo, ¡cuántos años para acabar formulándolo categóricamente, como un hecho en mí consumado!

Farida calla. Mi rostro compone por su cuenta una expresión de… ¿autocompasión? ¿desdén? ¿sabiduría?… ¿Me juzgo según la mitología social o según mi realidad interior?... Pero ¿es que tengo que juzgarme? ¿Por qué?

Los ojos de Farida, expectantes y abiertos, me dicen que me ha leído y que me espera. Sin sorprenderse, pues lo sabía. Incluso antes que yo. Me declaro:

—A veces en mi vida llegué a preguntarme si era homosexual. Pero los hombres no me atraían y en cambio las mujeres sí; lo cual no me resolvía nada porque con ellas, frecuentemente, yo fallaba como hombre, sin poder explicármelo. Acabo de encontrar la respuesta. Mi sexo es masculino, pero mi género es femenino, atraído hacia las mujeres y, para concluir, sumiso. Así es que resulto lesbiano.

Farida, sonriente, oprime mi mano entre las suyas. Siento su cuerpo muy al lado del mío, fraternal, comprensivo todo él y no sólo en la expresión y la sonrisa. Hay una acogida carnal en su actitud. Su voz es tiernísima:

—Bienvenida a tu verdadera vida: te felicito.

Me conmueve, pero mi voz suena sin su alegría:

—¿Y ahora qué?

—¿Cómo? ¿Vas a renunciar a hacerte quien eres? ¿Después de haber sido capaz de llegar hasta aquí?... ¡Hasta estas Afueras, donde no hay murallas de Jericó!

—He tardado mucho. Si no me haces tú, no tendré tiempo.

—Olvídate del tiempo, ya te lo he dicho. Y sólo tú puedes hacerte... Eso sí, conmigo, con tu Maestra en el noviciado. Mira, ya has progresado; ya no eres educando, sino postulante, porque ya sabes lo que pides.

—¿No me habré despistado en el gráfico?

—¿Tienes dudas? De tus genitales claro que no. De tu género mental, ¿acaso no recuerdas tu exaltación vistiendo medias y taconeando?

–Y tantos otros datos de mi pasado, desde la infancia misma... También estoy seguro de que nunca me atrajeron los hombres. Y más seguro aún de mi sumisión innata... Está claro: soy lesbiano, y...

Los ojos de Farida me hacen callar. Sus palabras fluyen, lentas y trascendentes como las de un oráculo:

–Querrás decir lesbiana: Acepta tu género. Lo esencial es el modo de amar y tú amas a la mujer, pero sintiéndote mujer. ¿Verdad?

–Verdad –contesto simplemente. Me pregunto cuál es la variante afectiva de Farida, pero ahora lo que me cuadra es el silencio. Para seguir asimilando más hondamente esas decisivas palabras: «Despertares tardíos.»

–¿Tienes muchos novicios?

–Ninguno más –sonríe ella–. Me he hecho Maestra de ti porque eras tú, porque me necesitas. Lo que tengo en la consulta son clientes. Decido y dirijo su asistencia, pero la ejecutan otras personas. En mi época parisina, en cambio, practiqué yo misma con los sujetos, pero ahora sólo de vez en cuando, para no perder la mano y la sensibilidad y para seguir comprendiendo bien al cliente que demanda flagelación, por ejemplo.

–¿Administráis azotes?

–¿Por qué no? No pienses como un cura. Y no creas, no azota bien cualquiera, no es cuestión de mera fuerza o destreza. Es indispensable el sentimiento común entre los participantes. El que azota siente también el golpe, la resistencia, la reacción; el azotado no es sólo un receptor pasivo sino que ha de disponerse antes, aguardar alerta, acoger la sensación. El látigo es un cable de transmisión con doble dirección; de lo contrario es mera brutalidad. Además han de conocerse y explotarse las hondas diferencias entre látigo y fusta, paleta o correa y otras variantes del instrumento. Y sólo he hablado del azote; no de tantas otras prácticas y deseos. ¿Quieres saber algo más?

—La verdad, no me atrae el dolor; no comprendo a sus adictos.

—Ya lo sé; eres sumiso, no te imaginas masoquista. Pero no lo sabes. En recibir azotes no sólo hay dolor como ya te anuncié, hay muchas más sensaciones y formas de acogerlas… Pero no trato de convencerte; no es ése mi propósito contigo. Solamente evitar que seas tan ignorante como casi todos; procuro ampliar tu capacidad de comprensión. A comprender no te resistes, supongo.

—¡Al contrario! ¡Quisiera comprenderlo todo!

—Pues acompáñame.

Volvemos a su despacho, cruzamos también la sala de espera y franqueamos una entrada.

—Ahora estamos ya en el área de la clínica —me advierte.

Al fondo de un corto pasillo, con dos o tres puertas laterales, me abre otra.

—Una sala de tratamientos —me aclara con gesto abarcante.

Es un espacio amplio y claro, con instrumentos de metal, de cuero o de cuerda y red colgando ordenadamente en las paredes, con otros más pequeños en estantes. Una mesa como de operaciones, incluso con estribos para las piernas, un par de mesas alargadas con tableros al parecer extensibles y anillas de sujeción, una jaula de barrotes como de un metro cúbico en un ángulo, espalderas en una pared junto con una gran X de dos maderos en forma de cruz de San Andrés, y también poleas de donde penden cadenas o cuerdas… Del suelo al techo dos sólidas pilastras… Y un curioso sillón de extraña forma, todo en tubo de acero.

—¿Has visto alguna vez otro gabinete semejante?

No eran como éste, los dos o tres a los que me he asomado en mi vida, sino más pequeños, oscuros y sórdidos pero, faltando otra vez a mi voto de transparencia, lo cual me deja azorado, niego haber conocido nada comparable.

—Aquí no tratamos de imitar las mazmorras comerciales de los anuncios porno. Nuestros practicantes no se visten de cuero ni llevan antifaces. Este ambiente frío, deliberadamente aséptico, humaniza la relación entre dominante y sumiso. Claro que algunos piden la escenografía tradicional y para ellos hay en el sótano un par de pequeños gabinetes.

—¿El dominante es siempre personal vuestro?

—¡Oh, no! También actúan clientes dominantes; algunos incluso se traen material propio para la sesión y pueden venir con sumisos, salvo que elijan alguno en nuestra lista de voluntarios. Pero siempre controlamos lo que hacen, para evitar errores o accidentes.

Señala unas cámaras de televisión en el techo y continúa:

—Con este material y, sobre todo, con imaginación, se pueden abordar muchos tratamientos: encierros, estiramientos, suspensiones, aislamientos absolutos, tratamientos térmicos y acuáticos… Y estamos instalando en otra sala un novísimo equipo de «realidad virtual» para hacer «vivir» cualquier situación imaginable.

—¿Y eso? —señalo el curioso sillón de acero— parece un reclinatorio, por el asiento tan bajito.

—Sirve para eso, aunque admite otras posiciones. Lo solicitan mucho quienes están de vuelta de sus creencias piadosas y prefieren ser azotados de rodillas. Los tubos son telescópicos y permiten cualquier altura para el apoyo de los brazos y para ofrecer las nalgas en alto… ¿Ves? Es un ejemplar único, diseñado por uno de mis mejores clientes en Francia, que me lo legó al morir y yo lo aporté a este Centro. Él lo usaba unas veces como sumiso y otras como activo, *bottom* o *top*, en su terminología inglesa. Un hombre extraordinario, que favoreció mucho los comienzos de la Ipsoterapia… ¿En qué piensas?

—En que no te merezco: antes mentí; la verdad es que en Barcelona intenté probarme y fui hasta tres veces a uno de esos gabinetes de sadomaso… Perdóname: la costumbre toda la vida de estas ocultaciones no se pierde fácilmente. Y fue como dices: aquello era falso y decepcionante. No era posible entrar en situación.

Tiemblo pensando en las consecuencias de mi silencio pero seguramente ella comprende y acepta mi inmediata enmienda.

—No te lo tengo en cuenta porque, además, no te creí. No encajaba con lo que sé de ti; te suponía capaz de haberte estrellado de diversos modos contra los muros antes de encontrar tu camino propio… Lo que sí te aseguro es que en esta sala se siente de verdad, no es simulacro venal. Aquí hay pasión y a veces he presenciado en las cámaras escenas de amor que hasta daban envidia… Además, esta riqueza de medios sirve de criba: asusta a los pacientes que no pasan de soñar meras fantasías, mientras que en cambio estimula a quienes se mueven por verdaderos y profundos deseos, por la necesidad de vivir situaciones límite, de probarse y conocer… Bueno —concluye dirigiéndose a la puerta— ya has visto algo para empezar. Ahora sólo falta que te asomes al sótano.

Bajamos unos escalones hasta un pasillo claramente iluminado, con puertas de las que me abre una.

—Celda para soledad, voluntaria o de castigo. Otros cubículos, como te dije, tienen usos diferentes, incluso para residencias.

Me llama la atención una puerta a nuestra espalda. Es más estrecha y metálica. Pregunto, provocando su sonrisa.

—Ah, ahí empieza mi camino personal. Es la puerta del desierto.

Su tono de voz, aunque amable, me impide seguir preguntando. Remontamos la escalera y volvemos a su despacho.

—Por hoy es suficiente para ir aprendiendo que casi todas las relaciones humanas son, en el fondo, situaciones de dominación; muy rara vez de equilibrio. Y has adquirido además un conocimiento decisivo: ya sabes claro quién eres, ¿lo recuerdas?

—Soy lesbiana —declaro con cierto esfuerzo.

—Repítelo mucho, vívelo, acostúmbrate. Y voy a devolverte algo tuyo.

Para mi sorpresa, saca del cajón el abanico de mi diosa.

—Fue una prueba. Hoy has superado otra ante el San Sebastián. Y para ayudarte a tu nueva identidad te regalo mis sandalias. Son tuyas: úsalas.

Atónito, colmado, me deja besar su mano, me despide… Salgo justo a tiempo para coger mi tranvía.

Las sandalias. Siguen ahí, sobre la mesita de mi alcoba. Las contemplo, a la luz de un mediodía que no es mediodía. No me atrevo a creer que sean mías.

Me acerco despacio, me detengo frente a ellas con el mismo ánimo que si me arrodillara. Me inclino, las beso sin cogerlas, una tras otra. Están casi nuevas, me embriaga el olor a cuero acompañado de su complementario: un vago eco de su perfume, de su persona.

No las toco todavía. En el tranvía, durante el trayecto, he meditado y decidido el ritual. Esto ya no es una prueba; he sido admitido a un noviciado donde todo acto es veneración. Me he dado a Farida, mi Maestra, mi estrella polar. Y el templo en esta casa fue siempre la sala, donde está el *mihrab*, el retrato. Ya no me intimida que mi madre lo contemple todo; al contrario, su presencia la implica, después de la aparición de Farida. Vengo, además, de un *boudoir* parisino 1900, el escenario de su modelo Rachilde: mi madre no puede quejarse… Me sorprendo: antes siempre la llamé «mamá». No lo ha decidido mi razón sino mi impulso. Crea un alejamiento. ¿Qué cambio ha ocurrido? Ahora sé quién soy, nada menos.

Adelante; todo lo he previsto. Del cajón de la cómoda saco las medias y de la mesa cojo las sandalias. Con unas y otras salgo al pasillo. Me detengo en el cuarto moruno, enciendo la luz y abro el arcón. Siento en mi pecho un tirón hacia atrás: al aparecer los zapatos maternos parecen mirarme con reproche, con angustia. Como peces sacados a tierra, debatiéndose en su agonía. En otro tiempo —¿tiempo? ¿poco? ¿mucho?— me hubieran impresionado, pero Mario está transformándose. No necesito moverlos de su lugar, ni tocarlos siquiera, para hallar lo que busco, lo que he recordado en el tranvía: una camisola iraní que trajo papá de Teherán, hecha con un algodón blanco, finísimo, casi translúcido, con cuello redondo, manga corta y larga hasta la ingle. No recuerdo ahora si era para los muchachos o muchachas, lo que hoy llamaríamos unisex. La saco del arcón, la extiendo ante mí, me parece perfecta: he recordado bien. Y conviene al rito recibirla de papá. Al bajar la tapa del arcón los peces agonizantes ya están inmóviles. Aunque cierro con cuidado suena un golpe sordo y hueco, casi el de un féretro.

Cruzo la puerta de la sala sin experimentar nada especial y, frente al retrato materno, deposito sobre la mesa camilla las sandalias, las medias, la camisa de Scherezada. Me siento en la butaca; no quiero ir de prisa: no hay rito sin meditación. Sobre la transformación de Mario, naturalmente. Porque quien antes estaba cambiando, ahora ya ha cambiado. ¡Oh, aún me espera una ruta larga y difícil, de espinas con alguna rosa! como anunció mi Maestra; bajo disciplinas, ha añadido hoy. Estoy aún en el punto de partida, pero el golpe de timón ya está dado. ¿En qué momento? Aunque hubo anticipos, premoniciones, sin duda ha sido hoy cuando me sentí San Sebastián y cuando me penetró la saeta: un dardo que estuvo siempre en mí pero que nunca hasta ahora gritó su nombre. Y un nombre bien clavado es una bandera.

Mario es otro. En cambio mi Maestra… ¿Cuántas Faridas encierra esa persona excepcional? Yo había detectado la sensual y la salvaje, la bizantina y la beréber; hoy he descubierto a la moderna doctora y a la refinada señora de aquel París finisecular. Nada menos. Pero no «nada más» porque hay más, seguro, la que me fascina más que todas ésas juntas, la que se me acabará revelando.

¡Qué descubrimiento, las dos nuevas Faridas de hoy! ¡Cómo me ha mostrado la doctora el truco del poder: los pies de las chinas! ¡Y cómo me ha abierto la dama fin de siglo una lucerna a los placeres mal llamados vicios, a la pasión que ofrece y demanda el dolor! ¡Y cómo entre las dos, con ese gráfico del sexo y el género, han establecido mi naturaleza y me han clavado la bandera de mi identidad, tomando posesión de mí como el montañero conquista una cima virgen! «Perdona, querrás decir lesbiana»: esas palabras definitorias completaron el golpe de timón. Se acabó la transición; adelante en línea recta desde ahora.

Ya lo ves, madre, hasta papá lo comprendía, pero tú me negabas tus zapatos. ¿No te enseñó nada la historia de papá o acaso no la llegaste a conocer? Ahora no los necesito: ya tengo mis zapatos propios, mi Maestra me comprende. Mírame bien, verás como no se hunde el mundo. Al contrario, se ensanchan las paredes y la vida.

Basta de meditación. Me desnudo despacio, me visto la túnica de Scherezada, con su blancura de neófito hasta cubrir apenas mi sexo. Sentado, reverente, cojo las medias de encima de la camilla, con la unción con que yo veía al cura revestirse en la sacristía cuando me tocaba el turno de ayudar a misa. Beso una y otra, como él besaba la estola, antes de ponérmelas y una tras otra, las medias vuelven a despertarme la sensualidad y la emoción de la vez anterior, ascendiendo por mis piernas hasta que la elástica blonda sujetadora ciñe mis muslos. Disfruto de la presión en torno a mis piernas, de la crujiente suavidad en la caricia, del color que oscurece el de mi piel aunque la transparenta. Luego cojo una sandalia y mi emoción casi me ahoga. La beso de nuevo y encajo en ella mi pie, en el acto adornado y embellecido por el juego sensual de las tiritas de cuero entrecruzadas. Aseguro la prenda en torno a mi tobillo como si me ciñera una ajorca de esclava. Repito la acción con la otra. Estiro mis piernas para ver el efecto, las cruzo varias veces, siento la exaltación de quien realiza una proeza: ¡Son mías, con su elegancia, con sus tacones; son mías! Increíble: ¿me atreveré a pisar con ellas, sobre ellas, yo que escribí a mi dueña mi ideal de ser sus zapatos, de sustentar su cuerpo?

Retraso el levantarme. Un huracán de inspiración sube vertiginoso de esos zapatos y me arrebata. ¿Habrán vivido estas sandalias lo que yo no me atreví a escribirle a Farida? Hoy, en que ella me ha enseñado el reclinatorio de las flagelaciones, y en que ha quedado desplegada la panoplia de la dominación, me pregunto si acaso estas sandalias no habrán puesto su planta sobre el cuello de un feliz sumiso o sobre sus genitales, si acaso no habrán hecho sentir el talón en la boca o en el ano de la adorante víctima... ¡Y ahora soy yo el dueño de esos pedestales, el que puede jactarse sobre ellos!... Se me ocurre pensar en mi arrebato, envidiando la suerte de estas sandalias en sus pies, ¡qué delicia si yo fuera sus medias! Cuidadas por sus manos, acariciadas entre ellas y su piel, escalando sus muslos, acercándome sin llegar nunca, alcanzando al menos el área de su fragancia, sintiéndome atirantada en el potro de su carne... O ser otras prendas, todas envolviendo su intimidad, sirviéndola...

Reprimo mi ensoñación, me concentro en la realidad, en mi nuevo ser, tan a gusto bien vestido. Me pongo en pie, me afirmo sobre mi nueva base, mucho más perfecta que la otra vez, las sandalias no encarcelan, son puro tacón, me enfrento al retrato del *mihrab*, hoy todo es natural, no hay nada ocultable, mi madre ni se aleja ni me llama, la vida es como es. Lesbiana, ésa es mi condición: repito la palabra y cada vez me sorprende menos, los tacones se hacen mi cuerpo, su ritmo por el pasillo es mi música, emerge mi memoria oscura, mi pasado no comprendido, recuerdos que se acogen jubilosos a esa palabra, enarbolan con orgullo esa bandera en lo más alto de mí, el fracaso de mi boda, la incomprensión del psiquiatra, todo se aclara y se disuelve: por eso mi felicidad escuchándome andar y mi sonrisa en la puerta del despacho de papá.

Esta vez me presento aquí, ante la Odalisca, mi adelantada, mi igual en estas Afueras aunque su sendero en el gráfico de Farida no coincida exactamente con el mío. Con mi lección de hoy, sobre las identidades y sobre los tratamientos eróticos practicados en la sala, comprendo plenamente los sueños que aquí acariciaría mi padre y su nuevo talante cuando regresó de su realización en Teherán. ¿Cuál hubiera sido su vida de no cortarla tan brutalmente aquel obús? ¿Puedo pensarla semejante a la que me espera? Ahora este pequeño recinto, con sus recuerdos musicales y su espiritualidad tántrica y sufí, constituye una ermita en esta peregrinación ritual por el eje más largo de la casa. Ya revestido de mi identidad en la sala, avanzo hacia el fondo, hacia el patio interior, hacia el mundo oscuro. En medio hago este alto en la ermita, ofrezco este homenaje a mi padre, que ardió con libertad. Su relato ha sido decisivo y vengo a que me vea, humilde como novicio pero orgulloso de estar en el buen camino.

Llego a donde empecé hace un rato, a mi alcoba donde se aposentaron mis sandalias. Me las quito con respeto y vuelvo a entronizarlas sobre mi mesa, como se devuelve la imagen a su altar después de la procesión. Deposito el recuperado abanico en su lugar de la cómoda y, sin más, abro mi cama y me tiendo en ella. Mis piernas vestidas de seda entre las sábanas me ofrecen el disfrute de nuevas combinaciones táctiles: mis manos se extasían entre lienzo y malla, pasando sobre mi piel en exploraciones placenteras, mientras recuerdo excitado los mil detalles del día, sobre un fondo de sosegada plenitud a la vez que de ávida impaciencia por seguir adelante de la mano de Farida. ¡La mano de Farida!… Con asombro la siento en la mía: suya es la que acaricia la seda de mis medias hacia arriba, mis muslos, mis ingles, mi bajo vientre bajo mi camisola, mi sexo… que siento inflado, aunque no erecto… Retiro mi mano de golpe, asustado. La misma reacción que cuando se despertaba mi virilidad hace muchos años.

¿Puedo hacer eso, inflamado como estoy por la visión de Farida? ¿Me está permitido desahogarme? ¿Cuál es mi deber hacia mi Maestra? ¿Dónde está mi guía? ¡Ayúdame! ¡Pero si está en mi mente, siempre! ¿Por qué no me contesta?… Comprendo, esto es una prueba. Decido no caer en la tentación. Soy novicio: pasivo, blanda cera para su voluntad.

Cruzo mis manos, cada una sujeta a la otra. Soporto mi ansia. Esto es lo que te ofrezco, Maestra: ser estatua yacente. Perdón si me equivoco: tú juzgarás.

Consigo dormirme, pero me agitan sueños. Mucho después, de repente, me incorporo sentándome, casi en un salto, a tiempo para sentir los últimos borbotones de mi polución nocturna, mojando mis muslos y mi camisola… A medio despertar, sobresaltado, confuso, me pregunto si esto es una falta, una caída, aunque involuntaria…

Vuelvo a tenderme y reflexiono: ese miedo data de mi adolescencia, de la culpabilidad decretada por los confesores contra el onanismo. Ahora me alegra pensar que he vuelto atrás, como quiere Farida, para empezar desde el principio en mi nuevo sendero. ¡Soy de verdad novicio y seguro que este accidente es propio de novicios! ¡Estoy de verdad empezando! ¡Anteayer la acompañé a Toledo!

No puede ser falta: lo decidió mi cuerpo. O lo ha querido ella, puesto que está en mi mente, haciéndome suyo. Respiro en paz y, a modo de oración, dedico la ofrenda a sus sandalias, en el altar de mi mesa. A ellas sí me atrevo a dedicarles mi explosión.

No fue una falta mi explosión nocturna: Farida me tranquilizó y hasta puede que mi azoramiento la hiciera sonreír, si interpreté bien su voz. Me llamó por teléfono hace unos días, a poco de despertarme, para decirme que pronto empezaríamos a vernos más y aproveché para confesarme. Quizás me equivoqué, pero sentí como si lo supiese todo y llamara para probar mi transparencia. ¡Es tan intuitiva, tan penetrante! ¿O acaso se transmite el pensamiento y le llega como la onda de mi obsesión mental? El caso es que al final de la charla me ha ordenado que vaya a su casa mañana.

Desde ese momento el tiempo se me ha hecho larguísimo. He aliviado la espera en lo posible remirando las postales de la Kabylia que ahora tienen un valor excepcional para mí; incluso mayor que las de Ras-Marif –lo que me demuestra cuán lejos ha quedado aquel falso paraíso infantil– porque en los paisajes de la montaña, entre los cedros y los alcornoques, o por las callejas de Fort-National, imagino a la Farida niña o a la Farida joven, galopando como la Eberhardt, dominando a la montura con sus muslos. Al fin, tras un dormir más de una vez interrumpido, llega el momento de presentarme ante ella.

Los mismos nervios que en mi primera visita: ansia, inseguridad, ilusión… Esta espera en el porche, frente a su puerta, aun siendo brevísima, me pone el corazón al galope. Para hoy, además, me ha anunciado un largo encuentro. Me pregunto…

Ella vuelve a abrirme, pero es la Farida profesional, la de su despacho, aunque no lleve su bata blanca, sino un sencillo vestido de lino crudo, de corte recto y manga corta. Un cambio en el cabello, todo recogido detrás en un moño espeso de brillante negrura que, al no envolver la cara, destaca el saliente vigoroso de los pómulos y refuerza la mirada. Me pasa en seguida al despacho, pero permanece de pie y yo frente a ella:

—He de dejarte un rato solo porque ha surgido una inesperada reunión de colegas. Espero volver pronto.

Advierte mi desencanto, claro.

—¿Decepcionado? ¿Esperabas empezar con un reglamento y su horario? Aquí no hay reglamento y, sobre todo, no hay dogmas; pero hay reglas, descuida. Sólo que nuestras: vivas, recién creadas, y cambiables según convenga. A mi estilo. Eso sí: empiezan ya las probaciones de tu noviciado, con votos —jamás perpetuos— y hasta con nuestros sacramentos... Ahora mismo mi ausencia, aun imprevista, es una prueba. Apreciar tu iniciativa, tu uso de la libertad, de la soledad... ¿Qué me dices?

—Eso temo, Maestra: ¿sabré complacerte?

—Vamos, vamos; es como velar las armas el caballero en la cripta del castillo encantado antes del espaldarazo. No me decepcionarás.

—Hágase tu deseo.

—Bien, te enseñaré tu territorio de hoy. Este despacho ya lo conoces; quiero que lo dejes bien limpio. Esa puertecita es la de mi *boudoir*, hoy no entrarás ahí para nada. Sígueme por esta otra.

Dejando a la izquierda la que conduce a la entrada y, más allá a la zona de clínica que me enseñó el otro día, seguimos dentro de su residencia pasando directamente a un amplio salón comedor, con ventanales a un jardín interior. En un ángulo un tresillo con una mesita compone un área de conversación, al otro extremo hay un microondas para calentar alimentos preparados o bebidas, y junto a la pared mayor una larga mesa con sillas en torno. El centro es un espacio libre. Un moderno trinchero contiene vajilla y útiles de servicio. Al lado Farida me señala una abertura rectangular cerrada por una cortinilla metálica.

—Por este montacargas nos llegan desde la cocina, en el sótano, las comidas o servicios que pedimos por el telefonillo.

Me inquieta oír esas instrucciones, haciéndome temer que ella pueda estar ausente mucho tiempo. Por otra puerta accedemos a un pasillo y, al fondo, un vestidor bien provisto de cerrados armarios. Desde él se accede a un magnífico cuarto de aseo, con amplia bañera circular y todos los servicios deseables. Un enorme espejo cubre una pared y, en la de enfrente, una ventana de mitad inferior esmerilada deja ver los árboles del jardín. A cada lado hay una vitrina con frascos y tarros de cosméticos. Un perchero sostiene toallas diversas y dos albornoces: negro y rosa.

—Este recorrido es tu campo de trabajo para hoy. No curiosees ningún otro lugar. Puede ser peligroso, como en los relatos fantásticos.

Ha concluido risueña, pero vuelve a mostrarse severa:

—Te dejo una orden: Cámbiate. Dado tu género y tu adoración por las medias, tu traje no le va a lo que eres y, menos, a lo que serás. Quítatelo en el vestidor con todo lo que llevas, absolutamente todo, y ponte lo que más te guste de lo que encuentres en los armarios. ¿Entendido? Repítelo.

Obedezco y su sonrisa me da ánimos. La acompaño hasta la puerta donde se calza sus guantes, toma una chaqueta tres cuartos a tono con el vestido y coge una gran cartera. En la calle, ante la cancela, veo aparcado su Buick *roadster*. Mientras se aleja, con su grácil andar por el senderillo entre las lilas, me pregunto cómo habrá llegado el coche que a mi llegada no estaba. Ella se sube, arranca, me dice adiós con la mano y dejo de verla.

Cierro la puerta y siento el peso de mi soledad: ¡qué desamparo! Me sorprende la ruptura del silencio persistente en Las Afueras, pues en este jardín susurran las hojas de los árboles. Disfruto con ese rumor unos momentos pero he de moverme y camino hacia el vestidor. Allí me despojo de todo y paso al baño donde, bajo una luz deslumbrante, mi desnudo en el espejo me desmoraliza implacablemente. ¿Lesbiana en mí? ¿En ese cuerpo sin pechos, con esos genitales colgando entre las piernas? ¿Qué ilusiones me invento?... Me doy la vuelta, miro hacia atrás: ni las caderas escurridas ni el culo escaso sirven de apoyo. Sé que no me equivoqué, ni pudo equivocarse Farida al interpretar su diagrama de variantes afectivas; sé muy bien que soy lesbiana, que mi género me impone la femineidad, pero ¿cómo podré llegar a realizarme con esta envoltura carnal?

Huyendo de esa visión me refugio en el baño, me arropo en el agua caliente, me consuelo en la espuma, me froto y me seco, evitando ver mi imagen antes de envolverme en el albornoz: el rosa, por supuesto. Me siento en el taburete, fatigado como por un gran esfuerzo. Brotan unas lágrimas desde mi corazón acongojado y eso, precisamente, me devuelve el ánimo: ese llorar como una niña. ¡Sí, hay una niña en este cuerpo mío! Voy a vestirla, decido, pasando al cuarto inmediato.

Abro un armario: ¡qué policromía, cuánta feminidad! Vestidos, conjuntos, faldas, pantalones, blusas, de todo, ungido con un aroma que me arrebata. Me animo, ¡a ese mundo pertenezco! y también al del armario de enfrente, con camisones, batas, pijamas, cajones con prendas menores y complementos. Tanta abundancia me paraliza, me frena la elección. Acaricio las telas, hundo la cabeza entre las prendas colgadas. Huelo a Farida, la respiro, la toco, me empapo de su esencia de mujer, me identifico, me confirmo en mi fe. Hay sedas tentadoras, lanas esponjosas y cálidas, fibras sensuales, linos frescos. Al fin, como soy una novicia, elijo lo más sencillo: una túnica de raso de algodón hasta medio muslo con algo de vuelo, sin mangas, cuello redondo, sin ningún adorno y un color lila suave: no el morado intenso de las penitentes. Por cierto, necesito un nombre para mi nuevo ser: lo pediré a mi Maestra; sin duda ya lo tendrá previsto.

Me dispongo a deslizar la prenda sobre mi cuerpo cuando caigo en que me falta algo. Otra elección difícil, aunque me reduciré a lo mínimo. Unas braguitas, por supuesto: cubrir mi defecto físico, la incongruencia que me ha azorado ante el espejo, esas excrecencias... Hay slips deliciosos, pero cuanto más breves y ceñidos más bulto revelan. Me decido por unos pantaloncitos blancos, sencillos pero primorosos, una leve puntilla con un adorno nevado. ¿Y en el torso? Ahí mi fallo es la carencia, no necesito nada. Pero sí, justamente, algo que me recuerde mi nulidad con la sujeción de los elásticos y que, al bajar yo la mirada, impulse mi túnica hacia delante, aunque sólo sea muy poco: para eso encuentro un sujetador adecuado que relleno con unos pañuelos en cada copa... Pienso ahora, claro, en las medias ¡qué tentadoras en el cajón del vestidor! Extiendo un par de color fascinante, deslizo mi mano dentro para sentir su caricia y fundir su tono con el de mi piel, pero aún no sé si puedo llevarlas trabajando: sólo me autorizaron en las ocasiones, así es que me quedo con las dos prendas interiores. Veo entonces entre los cosméticos algunas cremas depilatorias y recuerdo el ligero vello en mis piernas, pues en el cuerpo no tengo apenas. Ya que no me atrevo a perfumarme, ¿por qué no probar una crema? Leo las instrucciones, me unto con una ligera sensación urticante, que cambia en un grato frescor al enjuagarme después, arrastrando con el agua el vello. ¡Qué triunfo! ¿Y si me diera en la barba? Pero eso lo decidirá mi Maestra. Así es que concluyo mi atuendo con la túnica elegida y unas sandalias sin tacón.

Vuelvo al baño y me planto decidido ante el espejo: esta vez le derroto. Mi imagen es normal, no ofende y como únicamente choca algo mi pelo corto lo rodeo con una cinta: ahora sí, en el cuerpo reflejado puede habitar la lesbiana. Se me escapa un gemido, entre placer y suspiro: me flaquean las rodillas y me dirijo a la sala para pedir un café fuerte antes de meterme a limpiar el despacho. Moverme con ese atuendo es toda una diferencia permanente, pues noto una extraña sujeción en torno al pecho a la vez que gozo de una total libertad en las piernas: el aire me las acaricia y al sentarme es un placer cruzar los muslos, piel contra piel. Me miro las rodillas, las corvas, las pantorrillas, tan suaves ahora al roce de los dedos... Otro triunfo: al pedir el café me han contestado: «Sí señora, en seguida», no sé si por confundirme con otra persona de la casa o porque la acústica del aparato atipla mi voz. En todo caso, otro apoyo a mi feminidad frente al espejo que me desanimó; otro paso hacia la esperanza.

Mientras sorbo el café bien cargado hojeo unas revistas femeninas y pienso cómo puedo complacer a Farida, hacer algo especial, aparte de esa limpieza pedida. Una revista con un reportaje sobre la decoración floral japonesa me sugiere la idea de poner sobre su mesa un ramo mío. Será torpe, pues carezco de práctica, pero será mi mensaje. Salgo al jardín con un cestillo y unas tijeras de la minicocina. Corto lilas y otras flores cuyo nombre ignoro, más algo de verde. Cuando creo tener lo preciso me detengo bajo un pino joven, aspirando los aromas vegetales, bajo la luz ahora delicadamente azul con estrías doradas. El aire me acaricia, juega con mi falda, sube entre mis muslos desnudos como un roce erótico. Me siento excitada y me veo de pie en un jardín con flores recién cortadas, como una estampa de candor convencional. Vuelvo por fin a la casa y, tras varios intentos, dispongo un jarrón con flores que deposito sobre la mesa del despacho. Antes de empezar la limpieza siento urgentes deseos de orinar y corro al baño. Pero ya frente a la taza recuerdo quién soy, de modo que bajo mis pantaloncitos, me siento levantándome la falda y, al terminar, me limpio. Esto me deja confusa pero decidida.

Acabo de terminar mi tarea cuando suena un motor en la calle y por la ventana veo a mi Maestra apearse del Buick. Antes de que llame abro y la veo detenerse en el umbral, con una mirada que me recorre de pies a cabeza. Su expresión no parece descontenta con lo que ve, y eso alegra mi corazón.

—Hola. Toma mi cartera y ven conmigo.

Su voz confirma mi esperanza de un buen encuentro. Pero, al seguirla, casi tropiezo con ella en la puerta de su despacho, donde se ha detenido en seco, vuelta hacia mí.

—¿Qué hacen ahí esas flores?

—Las cogí para ti. Pensé que te gustarían.

—Sí, pero no me gustan cortadas aquí, aunque te agradezco tu molestia. ¿O son una ofrenda a San Sebastián?

—¡No, no! Perdón, Maestra.

—¿Se pide perdón así, de pie, atreviéndote a mirarme?

Me arrodillo, inclino la cabeza, mis ojos en sus zapatos.

—Levántate, coge ese ramo y llévatelo al salón. Espérame allí, de rodillas contra la pared, las manos en tu espalda. ¡Vamos!

Obedezco. No hay nadie en el comedor pero, en cierto momento oigo pasos que lo cruzan. Sin duda resulto un espectáculo y le ofrezco a Farida mi humillación. Me siento más novicia que nunca. A la voz de mi Maestra me levanto y la miro: se ha cambiado. ¡Su magia me deslumbra; olvido mi pena! Es la tatuada de la Kabylia: viste un largo caftán verde con adornos de plata y larga abertura lateral hasta la cadera que, en esta versión moderna, está cerrada a medias con una cremallera, descubriendo sólo los tobillos desnudos y los pies en babuchas de terciopelo adornadas a juego. Se ha soltado el moño y su espléndido pelo ondula hasta media espalda. Lleva un pesado collar de grandes cuentas de ámbar alternando con otras de plata y una ancha pulsera similar en la muñeca. Se sienta en el diván y me hace aproximarme. Me examina.

—No has elegido mal; has sido discreta.

—No había nada más sencillo, Maestra. Todo era precioso.

—Una túnica más larga hubiera sido mejor, pero tus piernas no son feas... ¿Y esa cinta?

—Mi pelo corto era chocante. ¡No es tu soberbia cabellera!

Pasa por alto mi elogio.

—Y debajo ¿qué llevas? Veamos... Fuera la túnica.

Enrojezco al obedecer. Siento vergüenza, bajo su examen, tan íntimo.

—El sujetador ¿para qué? —sarcástica—. ¿Tienes tetas?

—No, Maestra; por eso. Es para que la prenda, al ceñirme, me recuerde constantemente que no las tengo. Y para que la túnica se ajuste mejor.

—Quítatelo; ni se te ocurra. No estamos para disfraces ni simulacros. Y rellenarlo además es una falsedad.

Obedezco. Me arden las mejillas.

—¿Y por qué un pantaloncito? ¿No había bragas?

—Preciosas, Maestra.

—Entonces... ¿Eso es para sentirte todavía algo hombre?

La noto irritada. Me apresuro a explicar:

—¡No, no, al contrario! Esto oculta más. Las braguitas, tan ceñidas, delataban mucho el bulto.

—¿El bultito? —desdeñosa—. ¿Y qué?

Su enfado me confunde, pero no quisiera llorar. Mis palabras se precipitan:

—Yo, Maestra... Perdón... Al verme desnudo en el espejo me

desanimé, me hundí… Nunca seré lesbiana, me dije, no es posible… Por favor… No quería verme, notar mi sexo tan evidente…

Desde el diván me lanza una mirada dura, despectiva e irónica a la vez, que poco a poco se dulcifica al comprender. Yo logro contener el llanto.

—No acabas de entender tu estado. No vas a cambiar de sexo; no lo necesitas y además está en cada célula tuya. Se trata de aceptar tu género, de asimilar esa condición femenina asentada en tu cerebro. Tampoco has de cambiar tu preferencia por las mujeres, ni tu actitud sumisa. Recuerda: en el esquema de las variantes tu único eslabón diferente es el género y claro que vas a asumirlo; toda tu vida lo has hecho, aunque bajo una represión que lo ocultaba y que te impedía realizarte.

—Pero en el espejo… es un hecho.

—Aprende a mentalizar lesbianamente esas excrecencias que te cuelgan. Acepta tu clítoris hipertrofiado, mayor que el corriente en las mujeres. Tienes los ovarios caídos, un prolapso, que te cuelgan al exterior. Pues bueno, por eso tu vulva y tu vagina están situadas hacia atrás, confundidas con el ano, como en la cloaca de las aves. Anomalías anatómicas, que no borran tu mentalidad femenina, ni tu género de lesbiana activa y convencida, ¿comprendes?… Quítate ese pantalón ahora mismo y mírate en ese espejo.

Al lado del diván hay uno lo bastante grande para verme hasta mis rodillas.

—Mírate bien, tu clítoris y tus ovarios, los órganos de tu género femenino, tu verdadero género, repito… No eres un transexual pasado por la cirugía ni un travestido simulador, aunque sí un travestofílico; vestir prendas femeninas excita tu libido. No te sobran esos genitales sino que los feminizas y los aprovechas, ofreciéndote con ellos para amar a la mujer desde la mujer que sientes ser… No te muevas; vuelvo en seguida.

Solo sobre mis sandalias, temeroso de que alguien pueda cruzar el salón, me veo en el espejo. Hondamente penetrado por sus palabras, me siento menos extraño, admito mi condición, me acepto mejor.

No ha tardado ni dos minutos; no ha podido ir más que hasta su despacho. ¡No, hasta su *boudoir*! Seguro, porque en la mano trae unas bragas preciosas, turbadoras, que coloca por encima de un lado a otro de mi vientre para ver el efecto.

—Te estarán bien. Póntelas.

No puedo remediarlo: el hecho de ser suya la braguita y de que sus manos me rocen, me obliga a sujetármela por encima de mi sexo súbitamente excitado. Ella suelta la prenda y me mira, risueña:

—¿Qué pasa? ¿Se te empina?

—Perdón, Maestra, perdón... Me avergüenzo; no puedo evitarlo.

—Claro, tonta, es tu travestofilia: acabo de decírtelo. Vestir esta braguita provoca tu deseo. Tu clítoris responde ante mí y eso es prometedor, pero en él mando yo, tu ama. De modo que ¡basta!... Y acaba de vestirte.

Me suelta una bofetada. El desconcierto reduce mi incipiente erección dejándome amilanado. Me pongo la exquisita prenda y luego la túnica.

—En adelante —continúa— llevarás siempre bragas. Bien ceñidas, envolviéndote... ¿El qué?

—Mi clítoris, Maestra —murmuro.

—Bien. Vístelo con sedas y blondas, con colores pastel y estampados; algo bien femenino. Coge el sujetador y ven conmigo. Vamos a devolverlo.

La sigo hacia el vestidor, tratando de asimilar todo lo que me está ocurriendo, tan agitados sentimientos, determinando algo más que sumisión: una devoción total a mi Maestra. Así me conduce más sólidamente que si me arrastrase con una cadena. Una vez allí me mira:

—¿Estás nerviosa? Me enfada que tardes tanto en comprenderte y aceptar. No estoy descontenta, no te has portado mal velando tus armas. Si quieres pedirme algo, atrévete.

Me arrodillo, beso sus babuchas y le doy las gracias por dirigirme, por su paciencia conmigo. Luego, alzando la vista a ella, me atrevo.

—Necesito un nombre femenino. Para ayudarme, Maestra.

—Es un deseo sensato. Lo vas a tener.

De pronto cae en la cuenta de algo y olfatea el aire.

—¿Qué te pusiste?

—Crema depilatoria en las piernas. Espero no haber faltado.

Se inclina para acariciar mi piel.

—Hiciste muy bien. Te llevarás un tarro y la usarás. Me gusta. Y ya que te quité el sujetador te voy a regalar otro. Vuélvete.

Mientras ella busca en el armario de los complementos yo le doy la espalda. Me manda quitarme la túnica y las bragas y coloca en mi cintura algo que me abrocha por detrás. Un liguero de color de rosa, con dos tirantes delante y dos detrás.

—Sujetará bien tus medias. Ahora sí te corresponden.

Me alarga un par, color pizarra. Rojo de confusión, pero también de emoción, me siento en el taburete y me las pongo despacio gozando su progresiva caricia y, más aún, su profunda significación en mi jubilosa mente. Las estiro enderezando mis piernas y, tras unos intentos, consigo engancharlas en los dos tirantes delanteros del liguero. Me pongo en pie y contorsiono la cintura para sujetar los traseros, pero se me escapan.

—Déjame —ordena Farida—. Irás aprendiendo.

Ella misma hace los dos enganches, corrige la longitud de los tirantes y ajusta luego los delanteros. Sus manos me rozan, su perfume me envuelve, su larga cabellera ondea sobre mi cuerpo… Todas esas sensaciones voluptuosas y mi conquista final de las medias me embriagan, se me suben a la cabeza y ahora sí, inevitable, la erección es completa, bien erguida y me obliga a darle la espalda.

—Perdón, perdón —murmuro.

—¡Calla! ¡No vuelvas a lo mismo! ¡Mírate en el espejo, mírate bien, de perfil, contémplate! No pidas perdón por eso que es obra mía, esa insolente dureza es mía, te lo dije. Te quiero orgullosa, pero no de eso, que lo logra cualquier patán, sino de alzarlo sobre unas medias que has conquistado como mujer. Y quiero que me lo ofrezcas, ese hermoso clítoris. El de mi nena, mi educanda ¿verdad?

—Sí, Maestra.

—Sigue viéndote en el espejo y abre un poco las piernas… Dame ese juguete obediente para mi placer. ¿Ves? Le gusta que te lo acaricie; está duro pero es suave, se deja domar. Mira cómo oscila, tiembla, ansioso de darme su alma… Vamos, nena, dámela, estás excitada, vamos, salta, estalla… ¡Así, muy bien!… ¿Has visto el surtidor obedeciéndome?

Mi respuesta es débil, mis piernas flaquean un momento. Ella continúa:

—Ahora de rodillas… Y tu frente contra el suelo.

Siento una babucha suya sobre mi cerviz. Así toma posesión de mí como una reina la tomaría de un prisionero vencido. Soy feliz.

—Eres mía, hasta tu clítoris. Toda mía, esclava. Te poseo.

—Soy tuya, Maestra. Gracias.

Me entrega una bola de papel arrugada.

—Limpia el suelo donde ha caído tu ofrenda. Y ahora sígueme, avanza sobre las manos y las rodillas sin levantarte. ¡Cuida las medias!

Entramos al baño y cuando me ordena parar me encuentro situado frente al bidé.

—Querías un nombre femenino y te lo voy a imponer sobre esa pila bautismal: ninguna otra ha visto más sexos de cerca... Agacha la cabeza encima de ella.

Un chorrito líquido cae sobre mi cráneo inclinado mientras ella decreta:

—Un nombre de mi raza: desde ahora te llamarás Miriam. Tu antiguo nombre, pero con tu nuevo género.

Me seca con una toalla. ¿Son mimosos sus gestos?

Volvemos al vestidor. Es tierna su mirada. ¡Me siento tan confuso y a la vez tan exaltada!

Me tiende las prendas que me quité para recibir el liguero.

Resbalan deliciosamente las bragas por mis piernas arriba y se fijan con tierna presión sobre mi sexo. Brazos en alto, la túnica resbala torso abajo. Me miro en el espejo. Ahora con las medias, mis piernas son elegantes, mi túnica me viste mejor, yo soy otra: ¡Miriam!... ¡Qué victoria de mi identidad!

La felicidad me colma. Miro a Farida, que me contempla inmóvil y veo cuajar en su semblante la toma súbita de una decisión.

—Vamos, Miriam. Te llevo conmigo.

Por una de las puertas del pasillo salimos al otro que conduce a la sala de tratamientos y, por él, a la escalera por donde bajamos al sótano. Se detiene ante la puerta metálica más pequeña. Saca una llave y la abre. Me hace entrar, cerrando otra vez tras ella. Está oscuro, aunque al fondo hay claridad. Me envuelve un aire cálido y seco, tan diferente del mundo dejado atrás que Farida me explica, sin detenerse, alegre:

—El desierto. Lo notas ¿verdad?

Llegamos a la claridad, subimos unos escalones y me encuentro bañada por una luz nítida, cristalina, dorada. Estoy en un terreno llano, ilimitado al parecer, con muy pocas plantas esparcidas. Lavandas y matojos ásperos, medio espinosos, de hojas pequeñas y agudas. A pocos pasos la impensable sorpresa; una gran tienda de nómada en piel de camello, una jaima armada sobre puntales y sujeta con cuerdas fijadas a estacas en el suelo.

—Mi país —me la presenta Farida—, mi reino, mi refugio. Fue de mi abuelo y pude conseguirla, con casi todo lo que contenía, menos el anillo del jeque, claro. También estaba dentro su fuerza y me la dejó. Aquí le acompañé a veces, aquí me llamaba su amazona... Pasa.

Levanta a medias una manta con listas rojas y negras que cierra la entrada y penetro inclinándome. Luego la alza del todo y entra ella bien erguida, advirtiéndome antes que yo nunca deberé hacer lo mismo, sino entrar doblándome. Me encuentro casi a oscuras, pues sólo hay una reducida abertura para la luz. Poco a poco se adaptan mis ojos y veo el suelo todo alfombrado magníficamente. También son soberbias lanas los jaitis colgados en torno, con decoración de arcos de herradura aplicados en repostero. Todo alrededor hay almohadones distribuidos para el descanso. Veo una mesita baja y un par de grandes bandejas con pequeñas patas para servir en el suelo. Otros objetos, como una gran tetera sobre un hornillo en forma de samovar y piezas de vajilla, se encuentran agrupados junto a un estante bajo con latas de té, pilones de azúcar, dátiles, frutos secos y otras vituallas. Farida se ha sentado contra unos almohadones y del pequeño estante retira una pipa de largo tubo y cazoleta de barro, que empieza a cargar meticulosamente de tabaco, mientras yo la contemplo de pie junto a la entrada. A su espalda, desde la cubierta de la tienda, cuelga un grueso cortinón de lana que aísla del recinto donde estamos la zona más privada de la jaima, situada al otro lado.

Encendida la pipa Farida coge una lámpara de queroseno y le da presión con el émbolo inserto en el depósito, para que ascienda el líquido hasta el manguito de amianto y lo ponga incandescente.

—Acércate y mira cómo la enciendo, para que lo hagas tú cuando yo te lo mande.

Una luz muy viva brota de la lámpara, que Farida me entrega indicándome el gancho donde se cuelga. Reviven los colores de las telas y el espléndido verde del caftán de mi Maestra.

—Vas a contarme cosas —me dice, mientras fuma—, tus secretos, tus fantasías. Serás mi Scherezada. Me darás tu memoria; también es mía.

¡Esa voz firme, grave, que hace vibrar mis recuerdos interiores, sembrando en mi corazón el caos y el orden, me asigna además ahora la función de mi Odalisca!

—Tú ahí, en la alfombra —continúa—. Siéntate cruzando las piernas decentemente, cubriéndote con la túnica. Yo te escucharé tumbada aquí. Y quiero que sepas una cosa: nunca he traído a nadie de la Clínica a este refugio. Sólo tú: Aprécialo.

¿Apreciarlo? ¿Nada más? ¡Si me das la vida, el paraíso! ¡Si voy a morir de éxtasis! ¡Si no me puedes dar más!

Mientras yo me siento, ella, para estar más cómoda, sube casi hasta su cadera la cremallera lateral de su caftán. Se recuesta, apoyado el codo en un almohadón y la cabeza en su mano. Se estira y…

Casi me desvanezco. Me ciega un relámpago, se me aparece una diosa, estalla la granada del mundo, porque en ese movimiento el vuelo delantero del caftán se ha deslizado hacia abajo desvelando la larga pierna, la línea perfecta de esa carne color de miel. ¡Aún podía ella darme más! Me clava en una reja ardiente, me ciega a todo el entorno la visión deslumbrante del muslo soberano, terso y tenso, firme y elástico, seguro y nervioso, el potente muslo de amazona, el que me capturó hace sesenta años en la alcoba de hotel perfumada por *Magie*, anulando desde entonces todas las demás mujeres aparecidas en mi vida… Me quedo sin palabras mientras oigo, lejanísima, la voz de mi Maestra, creciendo de tono, reclamando mis confesiones... Entre una bruma la veo extrañarse, incorporarse, sentarse... pero sólo existe para mí la carne divina y dorada, permaneciendo en mi retina aunque ella haya vuelto a cubrirse... Hasta que se impone Farida en pie, gritando colérica:

—¿Qué rebeldía es ésta? ¡Desembucha!

Veo en su mano un extraño látigo corto, cuyo extremo vuelve a sujetarse al mango como un bucle. Lo alza para golpearme pero ve en mi expresión algo desconocido y prefiere saber; descubrirme del todo.

—¿En qué pensabas? ¿Dónde estabas? ¡Confiésalo todo!

Desde mi postura sedente paso a estar de rodillas, humillo la frente sobre sus pies, rodeo sus tobillos con mis brazos. Rompo a hablar entrecortado y continúo sollozando.

—Tu muslo, Maestra... Refulgió de pronto, estalló su belleza, la obsesión de mi vida... Me absorbió adorarlo... Perdóname, ya sé que no soy digna... Yo...

La congoja me impide seguir. Ella espera a que me calme y entonces se inclina, acaricia mi barbilla y me hace mirarla. Sigo así de rodillas, mi torso frente a su caftán. Me habla sin ira.

—¿Adorarme? ¿A tu Maestra?... ¿Quién crees que eres?... No me adora quien quiere; y menos tú, empezando apenas... Adorarme es muy duro; soy tan cruel como tierna. Una dominante no tiene piedad de sus juguetes. Mi abuelo desolló vivo al ofensor de una hija suya y yo disfruté viéndole cumplir así nuestras leyes de sangre... Adorar es sufrir y ésta es mi arma más suave, ¡bésala!

Beso el látigo de camellero que acerca a mi boca.

—Gracias, Maestra; lo acepto. Todo: ser tu cautiva, en tu harem, la última esclava.

Acepto lo que disponga. Más que nunca porque, al apretarme contra ella, mi sien palpita junto al muslo recobrado y no hay más alto paraíso aunque de él me separe una tela... ¿Se da cuenta de mi entrega? Quizás; su voz se dulcifica.

—No sabes lo que dices y no lo tengo en cuenta. Estás muy cansada, Miriam; han sido demasiadas emociones... Vámonos.

Guarda su pipa y apaga la lámpara. Salimos de la jaima, bajamos los escalones al subterráneo hasta la puerta metálica que abre con su llave.

—Dejarás la túnica y volverás a ponerte tu ropa de calle. Yo también me cambiaré y te llevaré a tu casa.

—No soy digna, señora.

—Calla, necia. Ahora tienes otra dignidad y no sabes nada de ella.

No, no sé nada. El relámpago de su carne me sigue deslumbrando. Me visto mi traje masculino sobre las medias y sus bragas y me reúno con ella, que me instala a su lado en el Buick. No soy consciente del trayecto.

—¿Podrás subir sola a tu piso? —me pregunta, tras detenerse ante mi portal, viendo mi actitud absorta.

Le aseguro que sí y se despide, dejándome un paquetito que recojo, besando su mano.

—Quiero que uses esto.

—Gracias, Maestra. Y...

Su dedo en mis labios me impide pedirle perdón otra vez.

Subo, abro mi puerta, llego a mi alcoba viendo las cosas a través de una visión imperiosa y única: el resplandor surgido del verde caftán que anegó mi retina como un maremoto y sigue estremeciendo mis sentidos y mi mente. Me entrego al éxtasis de esa revelación carnal, de su densidad elástica, su brillo de seda, su modelado ideal y hasta imagino en mis lomos su poderío de amazona. Me anonado ante el prodigio, se anula en mí toda razón de existir salvo la de consagrarme a su adoración. Murmuro una letanía incontenible: «¿En qué pensabas?»

«Adorarte, Señora» «Seré cruel» «Adorarte, Señora» «Maltrataré a mi juguete» «Adorarte, Señora» «Te haré sufrir» «Adorarte, Señora»… Adorarte como Hallaj en el suplicio: «¡Tú eres la Verdad!»

Se rompe el hechizo al recordar, de pronto, su regalo, un pequeño envoltorio en papel de seda, dejado ahí al llegar, junto a mi cabecera. Al desenvolverlo aparecen dos ajorcas kabylas de plata labrada, abiertas y con broches, dos pulseras para tobillos unidas por una cadenita de unos dos palmos de larga. Al verlas recuerdo mis deberes: también aquí en mi casa soy suya, también aquí profeso el noviciado según su voluntad. Me desvisto hasta quedar sólo con las bragas y las medias con liguero que traía, viéndome así en el espejo: como cada vez más voy siendo. Acudo al despacho de papá, la nueva ermita, y allí me visto con su camisola persa. Dispuesto ya a encadenarme con el regalo reparo en que el metal arañará las medias en mis tobillos y, para evitarlo, interpongo sendos pañuelos entre éstas y las ajorcas. Abrochadas ambas la cadenita me obliga a andar a pasos cortos y no a zancadas masculinas.

También en el despacho están ahora las sandalias de Farida, trasladadas desde mi alcoba con la postal de Liane de Pougy —más vigente ahora que nunca— porque el altarcito anterior sobre mi mesa lo he instaurado sobre el piano de ese eremitorio doméstico, consagrado por la Odalisca, mi precursora: Un santuario para mi diosa, revestido de mística y música.

Ya ando sobre sus tacones, ya resuenan por el pasillo y, a causa de la cadenita restrictora, el ritmo sonoro de mi paso es diferente: allegro, en vez de andante.

Parece de ahora mismo aquella revelación de su carne que me alzó en lo más alto, porque mi obsesión no descansa, no deja de estar siendo. Pero no ha podido ser hace poco ni ayer ni como se nombre el tiempo aquí donde no transcurre. Han sucedido luego tantas cosas, me he enganchado desde entonces a tantos hábitos nuevos que ya tienen monotonía de antiguos. ¡Qué ilusionado acudí a la siguiente llamada de mi Maestra, suponiendo tolerada al menos mi adoración! ¡Qué decepcionante recibimiento me hizo, de estricta Maestra de novicias, imponiéndome tareas sin una palabra más personal, sin un signo de recuerdo! Más bien como distanciándose de mí, con atención al detalle pero actitud glacial y, para hacérmelo ver mejor, recibiéndome en su consulta con su bata... No pude soportarlo y cuando al fin me mandó retirarme me arrodillé y supliqué: «Obedezco, pero al menos dime que me oíste en la jaima, que me has perdonado y...» No pude seguir, me cortó la palabra de una bofetada que me desequilibró por la sorpresa, más que por el golpe y caí tumbado. «¡No vuelvas a recordarlo! ¡Jamás! ¿Qué libertades se toma tu pensamiento con mi cuerpo?» Dominándome en pie junto al caído era la diosa de la ira. Quise besar sus zapatos y me golpeó en la boca con el pie: «¡Vete o se acabó tu noviciado!» Salí destrozada.

Desde ese día no he vuelto a la jaima ni al *boudoir* con mi Maestra, la veo poco, me transmite órdenes por otras personas, mi servicio me resulta penoso. Llego cada mañana y me visto con la túnica lila, que ahora debo dejar guardada en una taquilla, pues las medias y las bragas las llevo ya por la calle bajo el pantalón, ocupándome luego de las tareas que me mandan. Por las tardes aprendo costura, maquillaje y modales femeninos con dos conocidas de Farida, que me impone esas labores para afianzar el género oculto bajo mi sexo masculino, como si fueran una terapia más. Eso es ocuparse de mí, lo reconozco, pero ¡qué distinto de como yo esperaba, de como lo deseaba mi obsesión! Es imposible que no se dé cuenta y por eso no me explico su nueva actitud. Más dolorosa aún porque precisamente me desdeña después de haber despertado en mí el deseo de adorarla. ¡Cuántas veces en mi vida, a lo largo de mis fracasos, me acusé de ser incapaz de amar! Aquí mismo, escuchando a mi padre o la historia de tita Luisa en su final, les envidié y me reconocí mutilado para la pasión. ¡Estaba equivocado! Si acaso, sólo a mi madre quise con tan ciega intensidad, pero era mero cariño infantil. Ahora es un sentimiento adulto, por obra de Farida. ¡Ahora deseo y me entrego tanto como esos envidiados ejemplos! Necesito adorarla, sufro insomnios febriles, ocurrencias disparatadas, celos de cuantos la tratan. Celos de sus pacientes, a los que en ocasiones azota —para conservar la mano, me dijo una vez—, ¡por qué no a mí!... Todo lo refiero a ella, yo mismo sólo existo como su pertenencia, su animalito de compañía, su juguete, pero ahora no soy ni eso... A veces no puede ignorar la entrega en mi mirada y entonces me sermonea poniéndome en guardia contra los sentimientos: en los noviciados sobran, primero he de aceptarme quien soy y acceder así al placer de vivir; sólo después podré ejercerlo. «Quiero capacitarte para eso», me repite. «Pero yo quiero darte...» me atrevo a comenzar y no me deja seguir, su enfado me amordaza. «Tú hazte arcilla, déjate modelar y no pidas más ahora.» ¡Que no pida más quien sólo ansía fundirse, aniquilarse en ella! ¡Acógeme, estrújame, destrózame! Es el clamor que su rigor sofoca. He de conformarme con el privilegio de respirar su mismo aire, admirar su gracia inefable, recibir sus zarpazos de pantera, padecer su atención glacial, besar lo que ha tocado, celebrar sus apariciones...

En mis obsesivos insomnios me consuelo una vez más pensando que este dar y negar forma parte sin duda de las probaciones en mi noviciado y, sea lo que sea, mientras yo acuda a diario a su mundo no me siento perdido del todo, aunque viva en la perpetua tensión de las pequeñas alegrías alternando con las decepciones. Alegría mayor es, de pronto, ser requerido para ir de compras con ella, para lo cual me ha mandado que me vista con mi chaqueta y mis pantalones. Me sorprende, de nuevo, cuando al presentarme ante ella me pone al cuello, sin más explicaciones, un collarín de cuero, como para un perrito. Eso no disminuye mi felicidad y, cuando me siento a su lado en el Buick, recuerdo la inolvidable tarde del cine y el Club, contemplándola en su versión moderna, admirando su perfil, la pericia de su conducción y la seguridad de sus gestos.

Nuestro destino es un elegante establecimiento de modas donde Farida advierte a una atractiva dependienta su propósito de adquirir prendas de ropa interior y otras de calle, contestando, cuando le es preguntada la talla, que la ignora, pero que toda es para el acompañante a su lado. Enrojezco como una tonta, bajo la sonrisa de Farida, porque una cosa es aceptarme y otra ostentarlo ante una extraña, pero la dependienta escucha con naturalidad y me mira de pies a cabeza para hacerse una idea de mis medidas. Ni siquiera se inmuta al advertir el collarín en mi cuello. De todas maneras, a pesar de su comprensión, me resulta penosa mi inevitable semidesnudez en el probador, con Farida haciendo sugerencias e intercambiando comentarios con la señorita que, para tranquilizarme, me aclara que en el establecimiento existe una sección «Bisex», con prendas femeninas diseñadas especialmente para cuerpos masculinos, e incluso procura sosegarme asegurándome que en el departamento tiene dos compañeras de mi misma condición, aunque pocos podrían advertirlo. Al final, ya con las prendas empaquetadas y sin la presencia de la dependienta, Farida me contempla, cargado con mis paquetes:

—Y ahora Miriam, ¿tienes queja de tu Maestra? ¿Crees que no pienso en ti?

—¡No, no, gracias! Si alguna vez llegara a quejarme, córtame la lengua ingrata.

Lo digo tan conmovida, olvidada mi odisea, que tiene ella que retenerme para que no me arrodille.

—Espero que no sea necesario —sonríe—. Yo ahora me quedo aquí para compras mías y no te necesito... En la planta baja hay una cafetería; espérame allí.

La espera es dulce porque mi experiencia, en su conjunto, me demuestra el interés de Farida hacia mí y porque se ha desarrollado en un clima de cariño, al que añado la comprensión de la dependienta, aunque responda tan sólo a su profesionalidad. Acariciando esas ideas un pensamiento ensombrece de pronto mi mente: caigo en la cuenta de que durante la compra me quité el collarín de cuero en el probador y allí ha quedado olvidado. He de recuperarlo ahora mismo y volver a ponérmelo, antes de que ella al volver note la falta ¡y no quiero pensar en la posibilidad de que yo no lo encuentre donde se quedó! Subo corriendo y llego hasta el probador en que estuve, abriendo la puerta sin pararme a pensar que puede estar ocupado. Desgraciadamente me enfrento a la propia Farida que, en ese instante, asistida por la dependienta y prácticamente desnuda, sujeta brazos en alto un vestido a punto de ponérselo. Mi irrupción congela el aire. Sólo un momento, pues la ropa se desliza y cubre su cuerpo, pero en mí, paralizado, la instantánea visión es una explosión estelar, el fulgor de un relámpago. La voz de Farida es un latigazo:

—¿Qué? ¿Me has mirado bien?

—¡Perdón!... Mi collarín, olvidado aquí... —digo, cogiéndolo.

—¡Fuera!... Calculaste justo, ya veo... ¡Fuera!

Salgo aterrado y espero. Al rato, la dependienta me entrega unas cajas con las nuevas compras. Farida sale andando sin hablarme. Tampoco en el coche me dice una palabra.

Al llegar, entro tras ella en su despacho, me señala una silla para dejar los paquetes y reclama a una ayudante de servicio por el teléfono interior. Cuando aparece, la orden de Farida es muy breve:

—Llévate a ésa y pónmela en la polea. Los ojos vendados. Luego puedes irte; hoy ya no te necesito.

La ayudante me mira extrañada, pero se limita a una breve inclinación y a señalarme la puerta. Me lleva hasta mi taquilla y me ordena quitarme mi traje y camisa. No me permite ponerme la túnica y sólo con la braga y las medias me conduce a la sala de tratamientos, en ese momento vacía. Dentro de mi abatimiento me agitan confusas ideas. Me duele la injusticia y el no poder justificar mi inocencia, pero, al mismo tiempo y por breve que fuera el relámpago de su belleza, me deslumbra aquella instantánea de su cuerpo, hoguera en mis sueños y obsesión de mi deseo. La ayudante, sin dirigirme la palabra, ata mis muñecas juntas sobre mi cabeza y las sujeta al gancho de una cuerda que cuelga de una polea en el techo y, por el otro extremo, llega a un tambor fijo en la pared y provisto de un motorcito eléctrico. Lo pone en marcha y la cuerda sube, estira mis brazos hasta colgarme de ellos separando mis pies del suelo de manera que sólo pueda apoyarme con los dedos. Me sostengo de puntillas para aliviar mis brazos, tensos como en un potro. Luego, ella me tapa los ojos con un casco de látex que sólo deja al aire, la nariz, la boca y también los oídos. Oigo luego sus pasos al retirarse.

Mi soledad es un abismo; estoy desmoronado, como unas ruinas informes. No comprendo a Farida, ¿por qué no ha querido enterarse? ¿Por qué me condena sin oírme? Pero, extrañamente, la adoro aún más. Así suspendida, incapaz de moverme, ella me posee más que nunca. No tengo más voluntad que la suya, soy el puñado de arcilla que ella quiere modelar y aquí me ha puesto para hacerme más maleable. Veo sólo por sus ojos; me forjo a su capricho. ¿Por qué habría de oírme ni explicarme nada?... ¡Pero si al menos me hubiesen atado y colgado sus propias manos!... Será demasiado pedir. Aun así soy suya, reducida a objeto, no soy mi dueña sino ella. El dolor del castigo me permite ofrecerle un presente, al tomar de mí lo que puedo darle. La tensión dolorida de mi postura me hace tomar conciencia de fibras de mi cuerpo desconocidas: carne atirantada de mis brazos, nódulos en mi torso, aristas en mis axilas, huesos ignorados y puestos a prueba en mis pies. Farida me los revela y me los regala, enriquece mi cuerpo con el dolor. Floto en un agujero negro, pierdo la noción de continuidad, mis sensaciones se descoyuntan, se disgregan, los nudos de la personalidad se deshacen. Punzadas específicas y transitorias, calambres fugaces con que el dolor recorre un miembro, y ahora ya, después de no sé cuánto, respiración fatigada... Soy rendición, entrega, mis dedos de los pies ceden, se doblan, cuelgo de mis muñecas irritadas por la cuerda, mi cabeza se dobla sobre el pecho como en los crucifijos... Como última llamita de una vela extinguiéndose, aún se alza algo de mi yo: el recuerdo del místico sufí:

No te encontrarás a ti mismo, no serás del todo tú,
mientras no te hayas sentido enteramente en ruinas.

Y, a punto de apagarse del todo mi pensamiento consciente, un sonido lo reanima: el taconeo inconfundible, el rayo vivísimo de su voz rompiendo mis tinieblas:

—¿Qué? ¿Has aprendido algo?

—A adorarte mejor.

¡Qué estropajosa suena mi lengua!

—¿Cómo?

—He aprendido a ser del todo tuya... Gracias, señora.

—Me alegro.

He oído un armónico de ternura en su voz. Pero no cuando prosigue:

—Pero todavía te falta mucho. Lo de esta tarde…

—Castígame cuanto quieras, pero te juro que no fue un ardid. ¿Por qué no me dejaste hablar? ¡No te imaginaba allí, no entré a mirarte!

—Te creo, pero no es por eso el castigo.

—¿Entonces?

—Por tus ojos en aquel momento. Aquel deseo en tus ojos. Inconfundible.

Me asusta su voz, ¿de qué hondura le ha salido, de qué viejo drama? ¡Qué suplicio no poder ver el rostro que me escupe esas palabras!

—¿Deseo? Sólo mendigo señora, no espero nada.

—¡Mientes! Deseo repugnante, baboso, de macho. ¡Posesivo! ¡Odioso!

—¡Por favor! Mírate en mis ojos y no verás nada de eso; al contrario. ¡Quítame esta venda y mírame!

—No… Odioso. Y ese deseo te lo voy a arrancar de cuajo. Haré que desees de otro modo. Que ames poseída, según tu género. Y basta.

La oigo casi jadear, como calmándose. Continúa:

—¿Adónde fuiste cuando te eché fuera? Mientras yo acabé de vestirme. ¿Adónde?

—Esperé a que salieras. Allí mismo.

—¿No irías a los lavabos, a aliviarte esto?

Una punta dura toca mi sexo, a través de la braguita. ¿Una fusta?

—Ya te lo he dicho… ¡Si eso te repugna córtamelo todo, opérame! ¡Pero no te miento!

—No me repugna, ya lo has comprobado. Sólo quiero que lo uses según eres.

Guarda silencio. Vuelvo a ser San Sebastián, pero ahora de verdad, aguardando los golpes. Los ofrezco a mi diosa de antemano. ¿Dónde descargará? Pero la saeta es oral, inesperada:

—¿Sabes cómo he venido a verte colgada? Estoy desnuda, sólo con zapatos… Desnuda: lo que tú fuiste a ver ¿no?

—¡No, no!

—¡Calla! Desnuda estoy, pero no para tus ojos; no para ti. ¿Imaginas?

¡Cielos si imagino! Incluso huelo su cuerpo, esa cercana desnudez. La cuerda que me ata se hace más implacable. Pero, aunque se desatara: soy arcilla en sus manos.

—Estoy a tu espalda y te voy a soltar. Cuando estés libre saldrás de aquí en el acto, sin volver la cabeza, sin intentar verme. Contrólate tú sola. Irás a vestirte para la calle con tu traje y me esperarás en mi despacho… ¡Cuidado! Si te vuelves a mirar se acabó todo.

Oigo sus pasos y el rumor del motorcito eléctrico. La cuerda desciende por la polea y puedo asentar mis talones y bajar mis brazos hasta mi cabeza. Desde detrás ella deshace la atadura de mis muñecas, dándome sin querer el roce de sus manos en las mías. Luego me quita el capuchón que me cegaba y me da un ligero impulso entre los hombros. Sin volver la cabeza salgo de la sala y llego hasta mi taquilla, donde me pongo mis pantalones, mi camisa y mi chaqueta. ¿Volveré a dejarlos allí otra vez? Se me hiela el corazón sólo de dudarlo.

Subo los escalones del sótano arriba, camino por el pasillo lentamente, lleno de inquietud y de tristeza. Penetro en el despacho y recuerdo el primer día, el de mi llegada. La prueba del San Sebastián. Contemplo el cuadro: no tengo yo esa impavidez, pero tampoco voy a renegar de mi fe, de mi diosa. No sé qué he hecho, no comprendo mi crimen, pero si no puede soportarme, prefiero una saeta mortal, en el corazón.

Aparece por donde yo no la esperaba: por la puerta del *boudoir*. Es inútil que lleve el vestido más austero que le he visto y el pelo recogido y zapatos bajos y ninguna de sus pulseras tribales: la aparición es adorable y me deja temblando. Pero sonríe y me invita a pasar. Me reanimo, pienso que en ese saloncito no puede ocurrirme nada malo. Aunque ¿quién sabe? Se sienta en el diván y me señala el sillón más próximo. Por primera vez parece como si no encontrara las palabras. Al fin:

—¿Lo has pasado muy mal?

—No ha sido nada. No te preocupes… Una experiencia. Lo único que siento es…

Me ataja, pero sonríe:

—A ver tus manos.

Las extiendo hacia ella y examina mis muñecas enrojecidas. El roce de sus dedos, aun ligero, amenaza levantar la piel.

—Menos mal. Temí que estuvieran peor. Tienes la piel muy delicada.

—De Miriam —pretendo bromear, pero no me sigue—. No es gran cosa.

Calla unos momentos. Luego me mira muy directamente y su voz se hace más grave:

—He sido injusta… Lo he hecho mal; he perdido mi propio control. Yo…

La interrumpo en cuanto me repongo de mi sorpresa:

—No, no. ¡Qué dices, Maestra! Al lado de lo que me has dado, de lo que haces por mí. ¿Cómo puedes decir eso?

—Déjame hablar.

—No, no hace falta. Has hecho lo que has querido y puedes hacer mucho más. Azotarme: yo lo esperaba. Hasta lo deseaba, si eso te calmaba, te satisfacía.

¡Por fin le arranco una sonrisa! Incluso bromea:

—Por cierto, colgado en la polea sacabas un culito respingón muy azotable. Era tentador.

Se me ensancha el corazón:

—¿Por qué no lo hiciste? Te lo hubiera agradecido.

—¿Para lavar tu mala conciencia?… No, no —se apresura ante mi gesto contrariado—, lo he dicho en broma. No lo hice porque no era la ocasión… ¿En qué pensabas, allí colgada? Porque saltan muchas cosas a la cabeza ¿no?

—Muchas… Sobre todo, no comprenderte… Y mi torpeza al entrar en el probador de aquel modo… Pero me repetía algo: que soy tuya. Tu juguete, tu propiedad, tu alfombra… Porque soy tuya ¿verdad?

—No comprenderme, claro… Te sería fácil, pero ahora no puedo explicártelo.

—No tienes que hacerlo: Fue tu voluntad.

—Quiero… Cuando me sorprendiste allí creí que yo no sabía guiarte o, peor, que me engañabas, que eras como todos… Lo que ahora no puedo explicarte es el motivo de que mi reacción fuera tan desafortunada, tan violenta. Me descompuse, volví a tiempos que creía superados. Lo sabrás algún día si seguimos.

Me brotan las lágrimas:

—¿Si seguimos? ¿Qué dices? ¿Serás capaz de dejarme sola ahora, después de hacerme otra?

Me coge una mano.

—No, cálmate. Pero voy a marcharme fuera… No te asustes; sólo dos o tres semanas.

—¿Dos o tres semanas? Pero ¿qué he hecho yo, cuál es mi crimen?… ¡Mejor házmelo pagar, destrózame como quieras, desahógate en mí!

—No es por tu culpa; es por mí misma. Tengo que recomponerme.

—¿Seguro que volverás?

—Eso sí, te lo juro —se toca la barbilla al decirlo y ese juramento por su tatuaje me tranquiliza a pesar de mi tristeza—. Confía en mí; todo irá bien.

—¿Sigo siendo tuya? ¡Dímelo!

—Lo serás del todo cuando seas al fin quien eres. Cuando te haya moldeado tal como te quiero.

Las cuatro últimas palabras iluminan mi corazón como un estallido de fuegos artificiales. Ya sé que ese «querer» tiene más significación de voluntad que de… No me atrevo a expresar mi pensamiento pero aun así esas palabras son luz de esperanza. Y se suman a otro dato mágico, esa frase: «culito respingón». ¡Cuántas veces me lo dijo mi madre cuando me bañaba! ¡Cuánto me revelan ahora en sus labios!

Me dice que en su ausencia seguiré viniendo a la Clínica, que dejará instrucciones escritas sobre mis tareas y que, sobre todo, yo me formaré a mí misma siguiendo la ruta por la que ella me ha encaminado ya. Me despide asegurándome su confianza y rogándome —¡rogándome ella!— que no la defraude, que mi esfuerzo será también luchar por ella y no sólo para mí.

Contemplarla es lo primero que hago al llegar a casa: entrar en la ermita de la Odalisca y adorar la imagen en la postal. No sé si me calma o si ahonda el peso de su ausencia, pero mi necesidad de admirarla es irreprimible. Ya no es Liane de Pougy; es Farida, por su vestido abierto al costado, su caftán. Y tras esa contemplación, ajena a las razones pero acribillada de sentimientos, adopto para estar en casa mi aspecto de novicia: fuera el traje masculino de la calle. Sólo bragas y medias con el liguero, mis sandalias suyas y la túnica de bautismo: y así vestida me siento más esclava de Farida envolviéndome como ella quiere.

¡Qué mentira es el refrán de que el hábito no hace al monje! Es justo lo contrario: Vestido en la calle todavía me pienso a veces en lenguaje masculino; jamás vestida como estoy aquí o en la Clínica. La suavidad del raso feminiza la piel por su sola caricia, así como las braguitas me insertan un clítoris. Me doy cuenta del gran paso que me hizo dar Farida al imponerme el liguero, que llevo con tanto orgullo como una banda honorífica. Las medias ascienden con él hasta la cintura, visten el medio cuerpo erótico, persisten en un roce estimulante. A cada paso los tirantes se mueven sobre el muslo desnudo y lo acarician; cambian de posición al sentarme, al cruzar las piernas; reiteran sin cesar mi feminización. Y mi hábito hace a la mujer, me impone costumbres y rutinas que con el tiempo, estoy segura, devendrán instintos. Ya no dudo: orino siempre sentada. Y en un diván, en un sillón, junto siempre las rodillas y estiro mi falda como se ha enseñado siempre a las niñas buenas.

Todo eso me ayuda a perseverar, a trabajar no sólo para mi progreso, sino para su placer, para que Farida me encuentre más suya. ¡Si yo pudiera sorprenderla a su regreso! No voy ya a las clases de labores, aunque sí a la de baile y expresión corporal, pero practico en casa. La meticulosidad en la costura, la igualdad en las puntadas, son ejercicios que enseñan a mis manos así como el vestir enseña a mi cuerpo. Compro flores de vez en cuando y compongo un ramo que ofrezco a la imagen en la ermita. No quiero que vuelva a pasarme lo mismo que cuando lo intenté para Farida. La única manera de mitigar mi pena es enganchar unas con otras mis acciones y tareas más diversas, pero siempre dirigidas a la mayor satisfacción de mi Maestra, a hacerme menos indigna de ella.

Con eso no hago sino corresponder mínimamente. Antes de irse dejó a la suplente unas instrucciones sobre mí, tan previsoras que leerlas provocó mis lágrimas. En ellas se eleva el nivel de mis tareas, aprovechando mi práctica de archivos, lo que me libra de trabajos rutinarios y me tiene casi todo el tiempo clasificando papeles, especialmente historias clínicas, que son para mí una fuente viva de descubrimientos educativos. ¡Qué asombrosas peripecias humanas, qué conmovedoras transformaciones en cuanto los declarados oficialmente culpables se descubren inocentes! Todas las variantes afectivas del gráfico en que me descubrí lesbiana aparecen ahí, además de las combinaciones entre esas variantes. ¡Y qué cartas de gratitud de pacientes hacia Farida, de gentes salvadas a punto de ahogarse! En muchas se lee entre líneas el enamoramiento y me siento celosa. Si yo no supiera ya la grandeza de mi Maestra esas cartas me la demostrarían, enseñándome mi suerte al encontrarla y agrandando mi pérdida estos días por su ausencia.

¡Su ausencia! Pero ¿por qué se ha marchado, adónde, qué necesidad tenía? Me lo pregunto a todas horas. Esa obsesión ha provocado mi sueño de anoche en el que Farida venía a verme a casa y yo la recibía con mi túnica y mis medias, arrodillándome a su entrada, pero ella seguía pasillo adelante sin mirarme. Llegaba a la sala, siguiéndola yo, y allí estaba mi madre, que al verla llegar se levantaba de su sillón y la abrazaba. Yo las miraba asustado, pero ellas se lanzaban a bailar en la sala, que se había hecho grandísima. Yo, en la puerta, no oía la música, pero sabía, con absoluta certeza, que era el *Vals triste* de Sibelius, tan repetido en la Feria del Libro de Madrid de 1934. Ellas giraban, giraban y a mí se me pasaba el susto, me daba alegría verlas, la pareja se convertía en una peonza rapidísima, una sola figura danzante, como los derviches sufíes de papá bailando con la flauta *ney*, giraba, giraba... y al final la danzarina se detenía y me miraba: era Farida. Me decía no sé qué y me desperté, convencido de haber oído la voz de mamá...

¿Qué le ocurrió en aquel probador donde la vi desnuda sin querer? ¿Por qué tiene que «recomponerse»? ¿A qué «tiempos que creí superados» se refería?… También ella, como papá, como mi madre, tiene una historia oscura. ¡Sea la que sea me da igual! No quiero saber nada; vivimos aquí y ahora. Yo también tengo mi historia, mis fallos, mis tropiezos, mi navegar a contrapelo toda mi vida y ella me habla de volver a empezar, de que hay tiempo. ¡Pues igual para todos, también para ella! ¿Qué haces no sé dónde? ¿Volver atrás? ¡Óyete a ti misma, hazte Ipsoterapia! ¡Y no me dejes! Mi mayor consuelo, esas palabras tuyas: «Cuando te haya moldeado tal como te quiero.» Me las sé de memoria. ¡Vuelve, vuelve a moldearme!

Aquí me parece tenerla más cerca, en el cuarto moruno casi me siento en su jaima. Tendido en la alfombra que huele como las suyas, aunque no con su perfume. Pero aquí la conocí: ¡quién iba a decirme entonces que sería mi única razón para seguir vivo! Me siento niño también, como entonces, y entiendo mejor el retroceso vital que ella me pide, desde el que he reemprendido el nuevo camino con mis medias y mi túnica. Anoche me dormí deliberadamente sobre esta alfombra; el roce de la lana campesina en mis brazos desnudos fue ofrecido a ella… ¿Acaso por dormir aquí tuve ese raro sueño? El roce me hizo pensar en su abuelo desollando vivo a alguien según la ley de la sangre… ¡Desuéllame si quieres: mi piel es tuya! En tus brazos he renacido, tú me has puesto nuevo nombre en esa simbólica pila bautismal consagrada al espíritu de la carne y no al imaginario de las iglesias. Después de todo, más desollado vivo estoy por la angustia de tu ausencia y por la incertidumbre. Pues sé que volverás pero ¿volverás? Viéndote tan alta y yo tan baja ¿cómo evitar la duda?

¿Dudarás acaso de mí? ¿Te habré decepcionado? ¡Otro tema en mi miedo! Pero es imposible: me he rendido, me he entregado del todo, ¡por fuerza has de saberlo! Estoy domada, beso tu mano y en tu mano me vacío. Mi erección no me obedece a mí, sino a ti. La rechazaste y luego la provocaste a tu capricho, según tu voluntad. Me probó tu dominio absoluto. ¡Pero mi placer también absoluto: con mi orgasmo en tu mano se me escapaba el alma! Y en el lugar del alma estás tú: llenándome.

No me libraré de la angustia hasta que vuelvas. Sólo la alejo un poco, no del todo, pensando que todo lo hago para ti, como me encargaste, para hacerme según tú. Avanzar hacia ti, convirtiendo mi inevitable cuerpo masculino en servidor de tu placer y arca santa de mi esencia femenina: repetir mi depilación, cultivar la sensualidad permanente de mis hábitos que hacen a la monja, midiendo mis pasitos, mis posturas, mis movimientos... Hoy algo me ha dado ánimos cuando, al faltar la recepcionista por enfermedad, me pusieron a reemplazarla en su mesita a la entrada de la Clínica, vestida de uniforme. Uno de los pacientes, un señor maduro y distinguido que cruzó la entrada con aire preocupado, se animó al mirarme y, mientras me daba sus datos, me preguntó mi nombre y estuvo insinuante. Cuando me levanté para recoger un formulario en el estante, sé que me miró de arriba abajo, medias y falda hasta mi cofia almidonada. Tardé algo más en encontrar el impreso y volverme porque me sentí ruborizada... ¿Tendré la suerte de poder ofrecerle progresos a Farida cuando vuelva?

Salgo del sueño en mi cama y abro los ojos a una luz malva, un matiz frecuente estos días... ¡Sorpresa! Mi diosa está sentada frente a mí, dándose aire con el que fue su abanico, que ha cogido sin duda de su nuevo lugar, encima del piano de papá, ante las sandalias. Me incorporo en la cama y la interrogo sobre su presencia.

—Eres tú quien quería verme —sonríe, plegando el abanico y dejándolo sobre mi mesita.

Tiene razón. No había llegado a decírmelo a mí misma pero estaba en mi pensamiento. Quizás esperando de ella un consuelo, o más información acerca de la conducta de Farida o sobre su regreso. Le hablo de mi soledad, de mi desconcierto.

—Te comprendo, pero me parece que hay hechos bastante claros. Escuché tu letanía ¿sabes?: aquel «Adorarte, Señora» en vez del «Ora pro nobis». No tenías la menor duda.

—No, ni la tengo, al contrario... Pero ¡han pasado tantas cosas! Ya las conoces, claro.

—Sí, también su enfado y tu colgamiento y ahora tu abandono. Pero no todo es malo; el archivo te gusta.

—Me interesa y refuerza mi admiración por ella y por sus ideas científicas... Pero no está en eso mi vida.

—¡Tu vida: qué larguísimo rodeo! Ella te asomó a la tierra prometida a los trece años y, aun siendo entonces inviable para ti, quedaste marcada. Desde entonces todo fue apartándote de tu verdad, hasta volverla a encontrar en estas Afueras y descubrir su sentido con Farida, que te ha dado tu más propio nombre: Miriam.

—¿Tú supiste siempre que yo era lesbiana?

—¿Cómo no iba a saberlo? Desde siempre. Y también sumisa. Tu infancia ayudó a ello.

—No culpes a mi padre: desde que me contó su historia le comprendo y le quiero más. Mi madre al contrario: me quería enérgico, como ella.

—Pero bajo ella; a su servicio... Y ahora, amante sumisa bajo Farida, ¿no es lo que deseas?

—Con toda mi alma... Pero me ha abandonado, ya lo ves. ¿Qué pruebas quiere? ¡Si ya cuajó mi entrega, sin yo saberlo, en el deslumbrado muchacho hipnotizado por la abertura de aquel caftán en la habitación del Palace! Esa abertura renovada en la jaima con la misma fuerza: mi sed de ella, mi fijación en su carne, la entrega de mi libertad, mi voluntad, mis deseos... al reencontrarnos en el Pub, ¿es que no sintió el beso de mi mirada en sus tobillos ondulantes? Ella es mi principio y mi fin, mi única esperanza. Quiere hacerme a su imagen y semejanza y yo me entrego como arcilla a sus manos... ¿Tendré tiempo?

—Ya te lo dije: el tiempo aquí no cuenta.

—Entonces lo conseguiré, como lo consiguió papá. Seré la Odalisca de Farida; me lo pidió en la jaima. Le inventaré las más hondas historias, todas las posibles, más ardientes y difíciles que las de su archivo... Papá me da el ejemplo, aunque él fue distinto, al preferir a los hombres. Salvo eso llevo su herencia mucho más que la de mi madre. Ahora Farida me ayuda, aunque nunca llegaré a su altura, pero sí dignamente a sus pies... ¡Por cierto; se me ocurre de pronto!: ¿Fue obra tuya mi sueño, el último, el del *Vals triste*?

—No sé de qué me hablas.

La miro dudando; su voz ha sonado rara. Insiste:

—De veras. En tu mente no soy yo lo único. Lo más alto sí, pero hay otros entes en ti que aún no sospechas. Como no sospechabas antes mi existencia... Vamos, vamos; no dudes de mí, yo te quiero bien. Mejor que el dios que te enseñaron.

Me hace reír, disipa mis dudas:

—Eso, desde luego... Pero no basta con que yo la adore. ¡Dime si ella me quiere! O, al menos, si me querrá.

—Yo no estoy en su mente. Pero ¿no te dice nada su conducta?

—Por de pronto, me ha dejado tirada, sola.

—¿Y antes?

—La ducha escocesa. Tenía momentos tiernos y, de pronto, rechazos y críticas injustas... ¡Con qué ternura recogí flores para ella! Las rechazó secamente, como si no hubiese ramos en tantísimos despachos… Me puso con sus manos sus propias braguitas, un primor, y luego me dominó ante el espejo, abusó de mi sexo a su capricho, me hizo eyacular porque sí, como se ordeña una vaca y yo pasivo, como un grifo… Me anonadó.

—¿De veras? Recuerdo que gozaste, te temblaron las piernas. Yo estaba allí, no lo olvides.

No había caído en que, claro, lo presenció mi diosa: eso aún me abochorna más.

Mi diosa me mira con severo reproche:

—¿Avergonzada? ¡Deberías sentirte orgullosa de tu vergüenza, de sufrirla por ella! ¿Qué clase de sumisa eres? ¿A medias? ¡Ah, no!

Comprendo, atónita, que tiene razón. Ella prosigue:

—Te quedan muchos prejuicios; aprende a rechazarlos. Agradécele que te humille: al hacerlo se ocupa de ti, se te entrega. Has de jactarte, incluso, de toda degradación impuesta por su mano, por su voluntad, por su placer. Adorarla incluye lo que otros llamarán envilecimiento: vívelo de modo que en ese abismo te exaltes hasta saberte indigna de tanto bien, hasta ansiar más humillación y desprecio. Imita a los místicos, los más altos vividores del amor aunque lo ofrezcan a un altar imaginario: muchos quieren ser los más degradados a los ojos del mundo para sentirse más seguros en su bajeza, más esclavos de lo que adoran. Ésa es la entrega del sumiso y más aún de la sumisa como tú, entregada a su diosa: yo sé que ella lo es para ti más que yo misma y, ya ves, no me ofendo, porque contribuyo a hacerte Tú.

—Más que tú no, te lo aseguro.

—No la niegues; yo acato a Farida. Tengo mi lugar en ti: yo soy tu espíritu. Pero ella es señora de tu aliento, de tu carne, de tu sangre.

Vívidamente recuerdo en un segundo el final de tita Luisa: Humillada y orgullosa, escarnecida y dichosa.

—Así es —confirma mi diosa ese pensamiento—: como tu tía Luisa. No hay mayor felicidad al final de la sumisión.

Mi silencio se prolonga para memorizar, asimilar esas sentencias irrefutables. Pero, al final de mi cavilación, siento miedo al vacío: el dolor de mi actual soledad me estremece:

—¿Y si la Maestra no se interesa siquiera en humillarme? ¿Y si no valora su juguete? ¿Será posible que...?

No me atrevo a concluir. Mi diosa sonríe:

—¿Posible? Estas Afueras no son campo de posibilidades sino de hechos. Aquí acaba ocurriendo lo que sería inconcebible en cualquier otro sitio; aquí siempre pasa lo que tiene que pasar. Siempre: aquí no se entra en vano... Eso en general. Y en concreto, ¿acaso es preciso recordarte hechos? Si no le importas ¿para qué tu bautizo y tu nuevo nombre? Y la cremallera del caftán, cerrada en el Centro, ¿se abrió sola en la jaima?

—Acabarás diciéndome que también a mis trece años lo hizo adrede —protesto incrédulo, aunque estoy deseando creerla.

—No. Aquello hubiera sido una vulgaridad; casi una violación. Ahora es diferente; las dos tenéis detrás vuestra historia, ella ha encontrado algo siempre deseado, a juzgar por lo que ya sabemos: un amante lesbiano, adorante, sumiso y activo. Un San Sebastián ofrecido a saetas más sutiles y voluptuosas que la mera violencia bruta de los arqueros. Eres su «corazón de gacela», para su goce. ¿Te dice algo esa expresión?

Mi diosa lo sabe todo.

—¿Y yo?

—¿Necesito explicártelo o quieres que te regale los oídos? ¡Si estás ansiosa de vivirlo, de vivirte como eres! Te entregarás a fondo: te conozco mejor que tú. Y serás otra magnífica precursora en la evolución de la Vida; gozarás de la embriaguez de todos los adelantados, los descubridores de lo antes nunca conocido: el sexo futuro.

La miro sin comprender.

—Está claro: recuerda la tabla de las variantes afectivas. Hoy, aunque se imponga, la moral dogmática se incumple todos los días. La sociedad la desdeña; el mundo marcha impulsado por los disidentes, como tú y también como ella.

—Como ella… ¿Cuál será su historia, esa de tiempos que ella creía superados? Lo sabes ¿verdad?

—Sé lo mismo que tú, pero razono mejor, me atengo a los hechos, pruebas de que te necesita… Y añadiré algo: Ella está tan sola como tú: no tiene a nadie capaz de reemplazarte.

¡Eso sí que me asombra! ¿Cómo puede saberlo? ¿No será en el fondo una expresión de mi deseo?

—¡No está sola, me tiene a mí! —protesto—. Cierto, no soy nada, pero ahora sé querer, de verdad, con agonía: soy esa chispa de vida que tú me describiste una vez… Nunca lo supe antes. Hacia mi madre sólo sentí dependencia y además rechazada.

—No la culpes: te adoraba. Su amor era de verdad.

—Sí, pero ciego. Dirigido a un hombre que yo no era. Me quería deformado, vendó mis pies como a las chinas y me estropeó el andar para toda mi vida… Por eso con los demás todo fue fingimiento. Desempeñé el papel de novio, de marido, de amigo, de funcionario… ¡No viví nada de eso, ni gentes ni oficios, sólo representé!… ¡Y ahora que estoy viva, que muero de sed y tengo el manantial a la vista, Farida me deja sola!

Mi voz casi acaba en un sollozo. Ella me mira bondadosa:

—¿Y ella? ¿No se te ha ocurrido que seas tú quien la ha dejado sin ti? Sin querer, desde luego, por accidente, pero de pronto te vio imposible, quebraste su esperanza… ¿No has pensado que la dejaste entonces tan sin nadie que puede haberse marchado para no contagiarte su desolación?

No comprendo, pero descubro algo: nunca pensé en que ella pudiera estar sola. La consecuencia me aterra:

—¿Entonces tiene un refugio? ¿Un amparo, alguien?... ¿Entonces no volverá? —Me rompo en grito, en llanto, no sé.

—No pierdas la cabeza, niña, no te inventes fantasmas. Afírmate en los hechos.

—¿Cuáles? ¡Se ha ido! ¡Me ha dejado!

—¿Ya has olvidado su despedida? —Y añade lentamente como último argumento—: «Culito respingón.»

Si no fuera porque estar ocupada consigue distanciarme de mi obsesión no saldría de casa para ir a la Clínica, tan vacía por su ausencia. Cuando me despierto tras una noche de insomnios torturados por mis dudas y mis temores el esfuerzo de prepararme para acudir a donde todo me la recuerda me resulta insuperable. Si salgo es porque la perspectiva de un día entero evocándola en el cuarto moruno, recorriendo el pasillo como una lanzadera o meditando ante el piano consagrado de mi padre me expulsa en busca de ocupaciones. Éstas me atraen, además, porque al desempeñarlas progreso, me perfecciono como ella desea. Pongo mis cinco sentidos en adaptarme, en sentirme femenina, en cuidar mi aspecto. Estoy menos triste cuando me toca trabajar en la clínica recibiendo pacientes. Me distrae la variedad de tipos humanos, a veces pintorescos e interesantes, aunque muchos, sobre todo los principiantes, se muestran recelosos y huidizos. Me halagan algunas miradas masculinas codiciosas, subiendo piernas arriba por mi talle hasta mi cofia almidonada, aun temiendo que no me confundan con una mujer, pero me enorgullece atraer con mi nueva imagen. Hoy precisamente ha vuelto un hombre que estuvo hace días y me miró demasiado, intentando un diálogo que yo corté como pude. Sobre todo, entre esa concurrencia, hay detalles que me dan esperanza, cuando en la actitud dichosa con que se despide un paciente o una pareja compruebo la eficacia de la Ipsoterapia. Pienso entonces que si esos pies chinos se han librado de sus vendajes y prisiones también yo acabaré caminando libremente de la mano de mi Maestra.

Está concluyendo ahora la consulta cuando, al pasar ante la sala de espera veo un único paciente, justo el de aquel frustrado diálogo. Me sorprende porque su cita era mucho más temprana y no sé cómo habrá hecho para quedarse hasta estas horas, ni si habrá recibido su tratamiento o no. No puedo equivocarme de persona porque su estilo de caballero acomodado y sus lentes de pinza destacan entre los asistentes. Voy a pasar de largo cuando él se asoma a la puerta y se presenta para atenderle. Le pregunto si necesita algo pero no me contesta, mirándome intensamente. Su actitud se hace extraña y temo que empiece a sufrir alguna alteración, pero al volverme para avisar a una enfermera me retiene por la muñeca y me acerca al diván, donde se sienta, intentando que yo haga lo mismo.

—Señorita, ayúdeme… Es poca cosa, no se alarme, no me pasa nada… Son sus encantos… ¡Irresistibles, irresistibles!… Desde el primer día…

—¡Qué dice usted! —le interrumpo, logrando soltar mi mano. Pero ya las suyas, una en cada una de mis piernas, subiendo bajo mi falda más arriba del tope de mis medias, acarician mis muslos hacia mis bragas…

Bloqueo sus manos con las mías, protesto, me resisto. Él habla para calmarme, pero me asusta más, y alzándose de pronto me derriba boca abajo de un empujón en el diván, apoyando una rodilla en mi espalda con todo su peso y con un vigor insospechable por su aspecto. Logra levantarme la falda, pero ya mis gritos y mi resistencia han sido oídos y una asistenta acude con un grito que paraliza a mi acusador.

—¡Don Lucio! ¿Qué es esto? ¿Cómo se atreve?

El caballero cae de rodillas pidiendo perdón, mientras yo me incorporo, componiendo mi uniforme desarreglado.

—¡Perdón, soy un cerdo! ¡Azóteme, doctora, me lo merezco!

La asistenta ríe sarcástica:

—¡Ni lo sueñe, eso es lo que está buscando! El peor castigo es negárselo. Se irá usted de aquí inmediatamente y daré cuenta a la directora. Pero antes pida perdón de rodillas a la señorita Miriam.

El hombre obedece, lloriqueando en petición de azotes y se lo lleva una enfermera que ha acudido también a mis gritos. La asistenta me explica la estrategia del masoquista y me asegura que es un obseso perturbado.

—¡Figúrate —concluye su consuelo— que ni se ha dado cuenta de lo que eres!… Vamos Miriam, no ha pasado nada; aquí suceden cosas raras… Estás nerviosa, claro… Anda, sube al comedor y tómate un café. ¡O un carajillo, mejor!… Luego, si quieres, puedes marcharte por hoy. Descansa. Irás acostumbrándote a estas cosas.

Le doy las gracias y salgo de la zona de la clínica por la puerta que comunica con la residencia. Pero al fondo, junto a la escalera, veo esa puertecita metálica, la escapada al desierto, a la jaima. Corro allí, la acaricio, resbalo junto a ella hasta quedar sentada en el suelo, la espalda contra la barrera de metal. Imagino que así van a consolarse en Jerusalén los creyentes junto al muro de las lamentaciones. A suplicar, a rezar, a recomponerse… «Recomponerse»: esa palabra empleó mi Maestra, mi diosa, para anunciarme su marcha.

Sí, me recompongo, me reconstruyo. El incidente es una revelación. Lo de menos es el susto al verme en una situación no buscada y comprometida, que hubiera podido torcerse en forma interpretable contra mí. Más importante, aun siendo para él una estratagema, es haber excitado a un hombre con mi apariencia; haber pasado yo a sus ojos por mujer. Y más valioso todavía el que mi reacción haya respondido, como por instinto, a mi género femenino. Lo importante no es engañar con estas ropas, que uso para educarme a mí misma, sino el haber vivido esa emergencia con mente de mujer. Estará orgullosa mi Maestra cuando lo sepa y contenta de su educación. Mi género se va imponiendo desde lo más hondo de mi mente. Me acerco más a Farida, a mi obsesión.

Pero todo eso es nada frente a la gran revelación. Ahora comprendo y siento su terremoto emocional cuando yo me asomé bruscamente al probador donde se encontraba desnuda y, a sus ojos sorprendidos, violé su intimidad tan brutalmente como ha sido violada la mía. Ahora comprendo su reacción, agravada porque mi acto, aun involuntario, destruyó la confianza que ella tenía ya en mí, mientras que en este caso yo no tenía por qué esperar nada de ese hombre. Yo fallé, invadí su secreto, quebranté su confianza y ahora me explico su ira y su violencia. Y aún no la comprendo del todo, pues me falta saber ese pasado suyo que ella «creía superado» y que sin duda reforzó el desplome. Aun ignorándolo, me basta con lo que ahora he vivido para comprender su violencia.

Pero ¿por qué no me explicó nada ni me dejó explicarme? ¿Por qué no pesó en mi favor toda mi conducta hasta entonces? ¿Por qué no recobró el equilibrio castigándome, volcando su ira contra mí? ¡Ojalá me hubiese azotado hasta la sangre si eso hubiera reconstruido mi noviciado! ¡Qué a gusto hubiera yo pagado cien castigos, menos duros que este alejamiento, que este exilio!

Acaricio el frío metal de la puerta, apoyo mi sien contra ese hielo. ¡Pensar que al otro lado está su patria, su reino! Una idea me surge consoladora: ahora comprendo su rechazo al macho y a su tiranía.

Yo acabo de vivir en carne propia lo que a ella le sacó fuera de sí. ¡Entonces nos une ese lazo, esa común condición! No me importa que se considere normal a la hembra atraída por el macho y que en cambio yo, sintiéndome mujer, me sienta reacia a esa atracción como ella. Las dos vivimos aquí, en Las Afueras, donde las trompetas de mi Odalisca derribaron los muros, donde la Vida se manifiesta en cada uno con libertad.

No puedo irme a mi vieja casa con estos pensamientos y sin hablar contigo, Farida, pero eso es imposible. Sólo un alivio, sin pedir permiso a nadie. Por primera vez desde tu marcha voy a moverme aquí furtivamente. Y no derribo ahora mismo esa puerta metálica porque es más fuerte que yo.

Arriba no hay esas barreras. Ya en la primera planta paso al comedor y, efectivamente, pido un café. Pero no salgo del edificio. Por la puerta que da al despacho entro en el *boudoir*, sé que hay una llavecita en un cajón del escritorio. ¡Qué torrente de añoranza y melancolía me envuelve en esta salita, en este mundo al que siento pertenecer, en el que ella me supera! Repaso mis recuerdos, me siento donde estuve, acaricio el sillón que ella ocupó, contemplo los amorosos detalles…

Pero no es ése el fin de mi viaje, sino otro recinto más íntimo aún, el que la envuelve mientras duerme y mientras sueña. ¿Habrá soñado conmigo alguna vez? ¡Estoy loca! Claro que lo estoy. Como ambiente su alcoba es una continuación del *boudoir*, sonrío porque lo esperaba así. Pero hay un armario enorme, con un magnífico espejo en donde me veo tal como me ha dejado mi acosador, pálida todavía. Pero preparo mis ojos porque el armario no está cerrado.

Lo abro con reverencia, como un tabernáculo, y me ofrezco el despliegue de tactos y colores: vestidos, faldas, conjuntos, blusas, pantalones, incluso un par de caftanes, cuya sola visión me provoca lágrimas… Hundo el rostro en ese universo con arco iris y cierro los ojos para ver a mi dueña, mi obsesión; para tocar su perfume y oler sus vestidos que abrazo en torno a mí envolviéndome en ella… Casi desfallezco.

¡Su alcoba! Me asalta la memoria aquella Greta Garbo en *Cristina de Suecia* cuando, vestida de hombre, abandona la cámara del mesón donde ha pasado la noche con su amante y se lleva el recinto en la mirada, acariciando hasta la jamba de la puerta que traspasa para no volver jamás. Yo, a la inversa, vestida de mujer, hago como aquella reina para empaparme de cuanto me rodea, en esta arca de sus noches. Admiro en los bajos del armario la fila de sus zapatos, entre los que descansaron mis sandalias, y me atrevo con los cajones de la cómoda: galerías de suaves tactos y delicias cromáticas, complementos, guantes, pañuelos, cinturones, medias, ¡las prendas íntimas en las que yo amaría convertirme para envolverla!… Y una caja con broches, pendientes, pulseras, sobre todo la exótica plata de Kabylia con incisiones geométricas como los signos del lenguaje tamachek estudiado por papá, con algunas fíbulas o hebillas del mismo diseño que en la antigüedad clásica, para prender velos y mantos con su aguja atravesada sobre una media luna… ¡Qué tentación la de llevarme un recuerdo, una reliquia! La pagaría con sangre, pero eso no evitaría su disgusto.

Debo partir y, pesarosa, me traslado al *boudoir* y luego al despacho. Allí, antes de salir, me detengo ante el San Sebastián como en mi primer día. La flecha clavada en el muslo del asaeteado me hace pensar en el pequeño dardo de las fíbulas. Los romanos infibulaban a veces el pene de sus hijos para impedirles excesos prematuros con las esclavas al alcance. ¿Y si yo me presentase así ante Farida en prueba de mi total rendición a su voluntad?… Desvarío: ni ésa es su manera ni le hace falta: Soy toda suya de otro modo, capturada por otra invisible saeta, abriéndome una herida de amor que no se cierra.

Ella dijo dos o tres semanas pero ¿qué significa eso aquí, sin tiempo ni relojes? Quizás no hayan transcurrido todavía pero yo sufro como un desgarro de dos o tres años... ¡No puedo más, no puedo! Si tarda no me encontrará. Los insomnios me agotan, llenos de angustias obsesivas; mi cuerpo se debilita. Decaen mis fuerzas; ayer, o cuando sea, me desvanecí en la Clínica pero como no tenía nada observable me trajeron a casa y me concedieron descanso... ¡Descanso! ¡Qué sarcasmo, en el potro de mi desolación interior! Así y todo mejor que en la Clínica, donde antes me aliviaba respirar en su ambiente, pero que ha acabado por herirme más con su ausencia. Aquí evito el cuarto moruno, con tantas alusiones a su mundo; me refugio en mi dormitorio —el pozo del patio armoniza con mi vacío— y en el despacho de papá... En el salón me obsesiona el rostro materno en el retrato. «¿Has vencido, madre? ¿La has expulsado de mi vida como entonces?» he llegado a preguntarle. «¡Pero si os entendisteis, si os vi bailar juntas, entrelazadas, unificadas! ¡Si sois una y yo no hago diferencias!» A veces me pregunto si acaso se debilita mi razón y quizás voy a perderla antes que la vida misma... Confundo realidad e imaginaciones: ¿me han hablado mi madre y los míos? ¿Es verdad la Odalisca? ¿Y mi diosa? ¿Y... ella? ¡No, ella es la Verdad, como Hallaj! ¿Cómo va a ser falsa la hoguera que no cesa de consumirme? Y además, estas sandalias, las ajorcas en mis tobillos, el abanico, mis ropas... Todo es tan verdadero como mi pasión...

Y tan verdad como mi desaliento, mi desesperanza, que acaba conmigo. Ya no me muevo ni trabajo para perfeccionarme, para hacer méritos cuando llegue; apenas me concentro en no desintegrarme, no desmoronarme. Busco auxilio y aliento en los místicos árabes de papá, cuando dan testimonio de sus agonías, no cuando celebran sus éxtasis; leo sus experiencias de abandono, de desasimiento, de noches oscuras del alma. Y hoy, al acercarme al mismo consuelo y mover los volúmenes atraído por la obra de Sohrawardi dedicada al Ángel de Púrpura, aparece detrás un breve cuaderno manuscrito en árabe, cuyos signos han alterado mi corazón porque inmediatamente los reconozco como trazados de mano de papá. Sin duda lo compró en Teherán, con ese lugar y fecha en la portada.

Ya no pienso en mi angustia. Con manos temblonas abro la cubierta de izquierda a derecha y en la primera de sus escasas páginas puedo leer:

«El hijo mayor del poeta Rumí escribió una obra biográfica sobre su padre, el *Ibtibah Nameh* o *Libro de la Iniciación*. Yo adopto ese mismo encabezamiento para agrupar estas notas sobre mi reencarnación en una nueva existencia. Las escribo a impulsos de mis emociones, sin plan ni orden cronológico, a fin de retener en la palabra los fulgores y las visiones de las revelaciones recibidas, las tensiones y languideces de mi cuerpo, mi ávido aprendizaje de vivir como niño renacido.»

Ahora, pienso, esas revelaciones llegan a mí, a su hijo... ¿Tengo derecho a ellas? No veo razón en contra y todo me mueve a devorar ese texto. Pero al mismo tiempo siento un respeto inexplicable... Papá se lo trajo aquí, ¡cómo lo leería a escondidas!... No lo pienso más y abro al azar; descifro unos de los fragmentos sueltos que componen el texto:

«Cuando él no está, cuando me ha dejado en mi palomar para atender sus tareas de varón poderoso, dejo de verle, pero no de tenerle. No sólo le hace presente mi memoria, evocando con pasión sus palabras, gestos, caricias, abrazos, deseos, órdenes en la noche; es aún con más fuerza mi propio cuerpo quien por sí mismo retiene en mi carne, en mi piel, en mis sentidos, las huellas de su voluntad moldeándome. Sigo sintiendo besos, susurros, penetraciones, roces, ímpetus, deleites, suavidades que ya fueron, pero que mi carne retiene contra el olvido, como en los heridos queda la sensación del miembro hace mucho amputado. ¡Oh, Zadar: Me has hecho tan tú que yo me disiparía en nada si se evaporasen esas marcas de tu posesión! Me has vaciado de mí y sólo de ti estoy lleno.»

No leo más, no puedo: las lágrimas lo impiden. La palabra de mi padre me dice, mejor que yo mismo, la angustia que estoy sintiendo, sólo que la mía es más dolorosa, porque no he llegado en los goces tan lejos como él; mi carne tiene escasa noticia directa de Farida. Y sin embargo, en la desesperación, el náufrago se aferra a cualquier tabla y, secándome los ojos, vuelvo al texto y me refugio de un fragmento en otro, como si papá viniera a anunciarme lo que me espera; como si quisiera seguir guiándome después de haberme iniciado ya en su vivencia de Odalisca... Sí, este cuaderno va a ser mi breviario, aunque me llene de envidia. Será garantía de que la pasión total existe en este mundo: la más arrebatada, la más imposible, la más inesperada.

«Así es como fue: no me violó; nos fundimos. No violentó mi puerta, pues cuando entró en mí ya era ansiosamente esperado: rendida mi voluntad desde la primera visión, adorada la perfección de su desnudo en la piscina, avivado mi deseo por los días y las noches de frustrada pasión. Si hubo dolor lo borró mi ansia de darme a él y lo aliviaron sus besos quemantes, sus palabras audaces, su lengua posesora, sus dedos habilísimos. Fue natural hacernos uno, reunidos por su ariete hundido en mí.

»A la mañana siguiente me trasladó al palomar, la pequeña torre elevada al fondo del jardín, junto al *anderun*, el recinto de las mujeres en los palacios persas. "Desde ahora y para siempre se llamará el palomar de la gacela", me dijo al entrarme en sus brazos, ante la mirada de Amineh, la esclava que, en la planta baja, habita y trabaja para servirnos. Encima la alcoba del goce y el saloncito de alfombras y almohadones: casi sin muebles, todo exquisito y austero a la vez, nido más que casa. Más arriba la azotea para la alta noche bajo las estrellas y el vuelo del pensamiento. ¡Qué cumbres mentales alcanzo de la mano de tal Maestro! ¡Arroja al oscuro abismo de lo desconocido la antorcha de sus palabras y alumbra en su caída deslumbradoras revelaciones!

»Soy el arpa y él me tañe. Sólo cuando me toma tengo voz y conciencia. Apenas me alza en sus brazos y ya vibro en silencio; ya mi esqueleto y mis cuerdas se tensan en alerta. Me apoya contra él y me reclino dulcísimo en su hombro. Como entre las cuerdas se entretejen sus dedos en mis cabellos nupciales y respondo a su júbilo o a su nostalgia o a su deseo. Me arranca vibraciones y yo le devuelvo gemidos, sones, alegrías, besos. Si me ataca su fuerza padezco feliz. Mientras me abarca, estoy ardiendo en vida.

»Antes nunca sospeché que dos cuerpos pudieran enlazarse tan plenamente. Nos reenvolvemos como serpientes, su piel cubre la mía, gracias a su flexibilidad de yogui y a mi delicada complexión. Me ha reconciliado con mi cuerpo, desconocido para mí, al que siempre traté como una carga o como un siervo inhábil. Me ha enseñado a vivirlo y a que él me viva; es decir, a vivirme todo entero. "Sólo así —me dice— te vivirás de verdad en mí como yo en ti." ¡Cuántos placeres descubro!... Ahora él, de pie, me vuelve desnudo la espalda, colgando su túnica antes de llegarse a mí. Sus nalgas prietas son escultura: las del David en Florencia.

»El ocaso, con su horizonte rojo y malva, y la prima noche, son la hora de los cuerpos. Los ardores fogosos y las caricias lentas, con entreactos nutricios y sabrosos: dientes rojos del granado en vino de Shiraz, pistachos, melón, higos, quesos, leche, golosinas de miel... Al fin la carne saciada se duerme, pero el espíritu no y, por una empinada escalerilla, subimos a la alfombra y los almohadones de la azotea, envueltos en los olores y los susurros del jardín. Ahí recibo los mensajes más hondos: su sabiduría es increíble y lo avanzado de su pensamiento me da vértigo. Aunque se declara sufí —*Aref,* en persa— él es más bien un tantrik, un shaktista. El Islam se le queda corto, incluso ampliado con el monismo panteísta de Ibn-Arabi. Aspira a una unión con el absoluto mucho más intensa que la cantada por Rumí; su anhelada fusión es con el Todo cósmico, con la energía global, no con un supuesto creador divino. Su meta es la Shakti índica, hindú, la pareja de Shiva, la pura y elemental energía... Y esa visión me la ofrece tras un repaso a tantos místicos que conoce bien, tomando de cada uno lo más ardiente, reuniendo todas sus luces, sobre todo citando de memoria a Sohrawardi, el mártir de Alepo, en cuya más honda doctrina hay huellas incluso de Platón y de Zoroastro.

»El deseo es pura sensualidad; la pasión se satisface en la posesión, sólo el amor se...»

Ese ruido me arranca de la lectura, me taladra. ¿Qué? ¿Teléfono? Insiste ¡El teléfono! Dejo el cuaderno, corro, descuelgo, escucho... Desvarío, seguro, imagino esa voz... ¡Esa voz, la suya!

—¡Soy yo! ¡He vuelto, estoy aquí!... ¡Háblame! ¿Te pasa algo?

Mi sangre se hace hielo, se hace fuego; mi garganta enmudece. Al menos la oigo, inquieta por mí, asegurándome su regreso, su necesidad de verme... Por fin recobro mi voz:

—¡Voy ahora mismo, Farida! ¡Corro!

Dejo el teléfono, me avío no sé cómo, salto por las escaleras... El trayecto no acaba nunca, pero al fin me veo ante la puerta verde, que se abre al acercarme. Ella me esperaba detrás, caigo en sus brazos, en su perfume, en su presencia, balbuceo...

—Vamos, Miriam, cálmate. Soy yo, contigo.

La ciño, la compruebo, beso su cuello mientras me hace entrar y cierra la puerta. Me separo para verla. Noto algo distinto, pero es ella, en un conjunto azul pálido de chaqueta y pantalón cuyo lujo está en el impecable corte. Como en el primer día me pasa a su despacho ante el San Sebastián, pero me lleva inmediatamente hasta el *boudoir*. Nos sentamos juntas, en el diván.

—Bueno ¿estás ya tranquila? ¿Te alegras de verme?

—Alegría no expresa nada... Es... no sé: que resucito.

—¿Tanto te ha sorprendido? ¿No te lo anunciaron? Llamé aquí antes de emprender el viaje.

—No hablo con casi nadie.

Queda pensativa. Yo la contemplo; no puedo callarme:

—Estás más delgada.

Quita importancia a mi comentario con un gesto y me observa. Para no perder tiempo he venido como estaba, según acostumbro para trabajar en el archivo de la Clínica: una negra minifalda tableada, con la que procuro no agacharme mucho, medias también negras, zapatos bajos y una blusa. Me disculpo por un aspecto tan corriente pero ella le quita importancia alabando mi pelo, ya largo y femenino, y me anuncia haberme traído una pulsera más bonita que la que llevo. Pero vuelvo a mi tema.

—Sí, más delgada. ¿Qué has hecho? ¿Qué vida has llevado?

Ríe abiertamente:

—¡Ah, eso sí que no! Tú eres quien ha de dar cuenta de su conducta en este tiempo. Quiero saberlo todo.

—¿Y tú no me dirás nada, con lo que he sufrido? —exclamo tan quejosa que su expresión se endulza.

—Yo también sufrí… Sí, pienso hablarte. Dependerá de ti… Vamos, desembucha.

La palabra mágica hace su efecto y me someto en la misma postura en que obedecí siempre a mi madre cuando era niño: dejándome caer desde el diván y sentándome en la alfombra junto a sus rodillas. Acuden a mi lengua las palabras iniciales de aquel ritual: «yo, narrador, me confieso a ti…», pero no las pronuncio. Le explico brevemente el rutinario paso de los días en la Clínica, con mis varias tareas y mi interesante labor con las historias clínicas o recibiendo pacientes. Me detengo mucho más en vaciar mi corazón de mis agonías, mi soledad, mi desesperación sin ella: eso ha sido lo peor de todo, aunque procuro no expresarme con reproche.

Me pregunta si no ocurrió nada especial y le cuento el acoso erótico de que fui objeto. El episodio le interesa y advierto que no le disgusta.

—De modo que has pasado una verdadera prueba de mujer.

Su voz suena divertida, pero me mira con fijeza.

—Sonríe si quieres, pero me ha revelado muchísimo; algo muy importante para mí… Gracias a ese acoso comprendí tu reacción cuando irrumpí en el probador. Reconocí mi delito aunque yo no fuese culpable y, lo mismo que tú, me sentí como violada y estalló en mí el mismo rechazo al macho que tú vives… ¿Me equivoco?

—No —pronuncia en un susurro.

—Pues ahora te pido perdón con toda conciencia.

—Te perdoné casi en seguida: yo también te comprendí. A quien no perdoné fue a mí misma… No pienses más en aquello.

—¡Al contrario! Pienso mucho: que eso nos asemeja, esos sentimientos me acercan a ti… Que, a la distancia de una novicia principiante, sigo bien tus pasos, me estás haciendo como quieres y como quiero: alguien cuyo cuerpo de hombre vive como mujer… Me siento feliz y esperanzada… ¿Acierto?

—Del todo y comparto tu alegría… Ahora necesito que lo sepas: me marché de aquí a ser, a mi vez, lo mismo que tú eres junto a mí.

Rumio esas palabras, tardo en comprenderlas. Me atrevo:

—¿Quieres decir sumisa? ¿Cómo es posible?

Adivina en mi rostro mi alboroto interior. Mi imaginación galopa: ¿Tiene un Ama como ella? ¿Un amor diferente? ¿La pierdo para siempre…? Me aprieto contra sus rodillas, bajo la cabeza para que no me vea sufrir: ¡esto es peor aún que lo ya pasado! Pero alzando mi barbilla me obliga a mirarla:

—No te hagas daño con suposiciones. Nada altera lo que éramos ni cambia tu noviciado. Y todo acabó ya.

Una luz de esperanza. Y empiezo a creerla por su limpio mirarme. Palidecen mis celos, dejan de arañarme.

—He ido a reencontrarme, para no desviarme de mí misma. Fui como quien dice, a renovar mis votos. Pero han sido unos ejercicios nada religiosos, claro. Mucho más profundos: carnales, para vitalizarme, no para espiritarme. He sido sumisa de mi amiga Julia, que es como una hermana para mí; no te alarmes. Yo le hice el mismo favor en otra ocasión.

—¿Sumisa del todo?

Sabe que estoy pensando en esa sala de tratamientos, a pocos pasos de nosotros, con sus poleas y sus azotes.

—Por supuesto. Su esclava, su cautiva y castigada… No te escandalices.

—¿Escandalizarme? Si no altera mi noviciado, ésa es otra semejanza contigo. Te hace más mi Maestra que nunca, una Maestra que vive lo que enseña… Te lo diré: eso te hace más aún mi diosa.

—Lo sabrás todo con detalle, pero yo también quiero saber más de ti, aunque te conozco mejor que tú misma. Te quiero entera, sin repliegues ni llagas cerradas en falso ¿entiendes?

—Ya me tienes toda, ¿qué más quieres?

—Lo que tú aún ignoras o no te has atrevido a descubrir. Hay dos aspectos de tu vida semicerrados. Primero, ¿qué pasó con tu boda? Cuando tu madre me la anunció yo ya sabía que era un error, pero ¿qué ocurrió?

—Mi madre se equivocó. Creyó que eso me llevaría al «buen camino», al que ella quería, pero resultó contraproducente. No sé si con otra mujer hubiera ido mejor, pero a la mía, mi manera de ser hombre no la ponía en marcha... Consultamos a un psicólogo, a un psiquiatra; luego mi madre, con su idea fija, conectó con una terapista y tuve unas sesiones... No iban mal pero ahí mi mujer dijo basta, se enrolló con otro y acabamos en el divorcio... ¡Qué liberación fue para mí!... Si quieres detalles...

—No, es lo que suponía, pero quería oírtelo. ¿Y tus sesiones de sadomaso, con amas? Las mencionaste alguna vez.

—Eso fue mucho más tarde, ya destinado yo a Barcelona. Quise probar esa vía, saber algo más de mí... Me asomé unas cuantas veces, acudiendo a anunciantes, pero eran siempre prácticamente lo mismo. Algo casi burocrático, de puro rutinario; sin ninguna imaginación. Aparte mi satisfacción secreta de atreverme a gestos condenados por la buena sociedad no saqué más que cierto dolor físico y absoluto desencanto.

—¿Qué esperabas encontrar?

—Había imaginado que los culpables de ser diferentes, según yo me acusaba entonces, podían pagar así y liberarse de la culpa. O, al menos, de la responsabilidad al rendir su voluntad. Abdicar de la libertad le hace a uno libre; como es libre el monje que se encierra en la clausura. Pero no encontré a ninguna dominante con la que yo pudiera vincularme de alguna manera y convertir la operación mercantil en relación mínimamente humana. Renuncié a encontrarla, convencido de que no existían tales amas.

Ante su silencio interrogo a sus ojos. Me miran como a un inocente: tierna sabiduría, iluminadora comprensión.

—Pues existen. Humanas, impulsadas sólo por el afán de vivir. Pocas, pero existen. Me consta: yo fui una.

Ahora el silencio es mío. Lo rompe:

—¿Te asombra?

—No pero... No te cuadra... Yo te siento muy distinta. Guía, inspiradora, Gran Maestra de un culto esotérico, mágico...

Oprime mi mano, entregándose.

—Gracias... Eso es lo que fui antes que nada, en un círculo afín a los derviches de Mawlana Rumí, pero quebraron mi mundo. Un seísmo, peor que asesinarme y... ¿Recuerdas que te hablé de mi antepasada, la profetisa Kahina, vencedora en la batalla? Pues aquel golpe me dejó guerrera como ella, sólo guerrera... ven, siéntate y escucha.

Me instala a su lado en el diván. Me preparo a sorpresas.

—La violencia sufrida me lanzó a la venganza para poder aceptarme y entonces sobrevivir; lo que encendió en mí el antiguo placer de dominar, aprendido de mi abuelo y gustado sobre mi esclava y sobre mis caballos. Siempre me resistí a la sumisión femenina exigida entre mi gente, pero mi odisea me llevó a la máxima rebeldía. La guerra alteró muchas cosas y me hizo más fácil emigrar a París para estudiar medicina, que preferí a las letras después de haberla vivido como enfermera voluntaria en los hospitales. Al principio pasé privaciones hasta lograr ingresos como auxiliar en una clínica de lujo donde se me apareció la suerte al ingresar cierta Madame D'Honville, originaria de la Kabylia como yo, que en su largo proceso post-operatorio se encariñó conmigo, atraída por el paisanaje y nuestra lengua materna común. Al darla de alta, la dama me contrató como señorita de compañía, pues vivía sola tras haber enviudado de un coronel de aristocrática familia que le dejó una fortuna y buenas relaciones sociales. El marido, secreto masoquista, la había adiestrado como su propia dominante, creándole una adicción que ella siguió ejerciendo gustosa con algunas amistades especiales. Nada que ver, como imaginas, con tus anuncios en la prensa, sino a nivel de grandes damas y altos personajes unidos por pasiones secretas en círculos del más difícil acceso y con sistemas de seguridad inquebrantables.

—¿Es posible?

—Como lo oyes. Unos cuantos círculos en el mundo con sus reglas y códigos secretos, amos y amas homologados entre ellos, mercados de esclavos también cualificados y reuniones convocadas con anuncios en clave y en lugares para convenciones como si se tratara de turismo o subastas de arte. Cada club tiene sus instalaciones con la más variada fantasía, permitiendo desde la más rigurosa violencia hasta sesiones de mera humillación psicológica y dominación mental. Mi patrona y maestra sólo actuaba personalmente un par de veces al mes, desplazándose en ocasiones a sitios como la Riviera o un castillo en los Cárpatos. Otras demandas las atendía delegando en alguna de las jóvenes formadas por ella, una de las cuales fui yo misma, pues en aquel ambiente descubrí mi aptitud innata, alentada por mis crecientes desengaños con los hombres, compensados por los placeres gozados con Julia, mi amiga y compañera, e incluso alguna vez con la propia Madame d'Honville, que nos quería a todas. Éramos un grupo feliz. Nuestra divisa de amazonas modernas era: «Todas para todas frente a todos.»

—¿Y tu marido?… Perdona el atrevimiento.

—Me casé cuando, desencantada ya de mi tiránico abuelo, murieron mis padres en poco tiempo. Uno de mis profesores, ya mayor, era dulce, bueno, diferente; casarme con él me protegía contra el resto. Pronto aceptó dormir separados y espaciar sus visitas nocturnas, tampoco muy insistentes por su edad... Volviendo ahora a mi actividad en el secreto club de mi Maestra, conseguí mi homologación profesional y tuve mis propios clientes, financiando así mis estudios con espléndidos ingresos. En los últimos cursos médicos se estudiaba psiquiatría y, aunque te parezca increíble, me sentí horrorizada ante ciertas terapias aplicadas a los pacientes: lobotomías y penosos shocks eléctricos o insulínicos para provocar comas. Al lado de esas prácticas las «torturas» que me pedían mis clientes resultaban caricias. A veces me preguntaba si estaría yo equivocada pero por fortuna descubrí las obras de Laing y, tras él, de otros autores. Con ese estímulo decidí consagrarme a estudiar el mundo de las llamadas «perversiones», sobre las que yo tenía abundantes experiencias reales, gracias a mi secreta profesión. ¡Yo sí que conocía actuaciones y conductas incomprendidas por la dogmática formación de los expertos oficiales! Al fin acabé adhiriéndome a la Ipsoterapia, que ya conoces, donde se permite el crecimiento natural de los pies de las chinas, sin impedirlo con vendajes.

—Sí, la conozco, para suerte mía... Y ahora, ¿durante tu ausencia has querido volver a ser dómina?

Me nota la congoja y me fuerza a mirarla. Su sonrisa me tranquiliza:

—Claro que no, ya te lo he dicho. Sólo he vuelto a la ascesis de la sumisión para reencontrarme. Créeme, no soy radicalmente sádica. La verdad es que al principio me moví en el club secreto con ilusión, esperando que entre aquellos hombres, todos diferentes de la masa, alguno se mostraría soportable, quizás ajustable a una amazona como yo, pero no fue así. Solían ser tan superficiales y tan machistas como la mayoría. Más bien se aburrían y buscaban placeres sin arriesgar sentimientos; apreciaban la cáscara e ignoraban la almendra. Por eso yo les azotaba y humillaba sin escrúpulos, con un desprecio que les movía a desearme más... Pronto supe que allí no encontraría mi compañero de viaje ideal. Eso sí, me hice una experta y eso me ayuda ahora para concebir tratamientos.

—¿Por ejemplo?

—Muchísimos. Aprendí a dosificar los grados y modos de la humillación, de la represión, del dolor. La diferencia entre el látigo, la fusta, el martinete, el azote, el rebenque y la caña, pues cada objeto causa efectos distintos, como la tímbrica de los instrumentos musicales. Valorar las resistencias y texturas de la piel humana y sus reacciones a cada golpe: el rojo inicial bajo el azote, el verdugón morado de la fusta, la canaladura de la caña, el desgarro inmediato del látigo. Y los lugares del cuerpo, de sensibilidad tan diferente... Un campo infinito... Pero, sobre todo, me ejercité en el dolor pues, por supuesto, primero pasé por la sumisión bajo Madame d'Honville, conociendo el potro y el azote, la colgadura y lo demás; sin esa experiencia no se concedía la homologación como dominante por los dirigentes del club. Comprendí que el placer y el dolor están tan juntos como lo están la vida y la muerte. Aprendí también que el cerebro puede interpretar diversamente una misma sensación como placer o dolor: por eso el dolor sufrido no depende sólo de cómo nos golpea el dominante sino, sobre todo, de cómo lo recibe y acepta el sumiso, el *bottom*. Viví el umbral del dolor y también su frontera, donde se confunde con el placer y a partir de ahí se transforma del todo en éste: una vez más el erotismo conecta con los místicos y con los mártires, dichosos en la tortura. A veces el dolor excesivo conduce a la inconsciencia, pero también, en cambio, nos hace conscientes, en nuestro cuerpo, de áreas, fibras y músculos que habitualmente ignoramos. Conocí, en fin, el dolor como puerta de acceso a una experiencia física y como meta de llegada a otra experiencia más alta: enamo-rada. Porque la relación amorosa entre dominante y dominado, cua-lesquiera que sean sus sexos, llega a su hondura hasta la unidad de ambos celebrantes, allí donde el sumiso es tan dueño como el amo y éste es un servidor de aquél.

—Me cuesta trabajo entenderlo; perdóname.

—No eres masoquista y no has hecho la experiencia. Pero asomar-se a ese cielo abismal, y no a tus amas mercantiles vendiendo un si-mulacro, es otra de las exaltaciones humanas, como la del poder máximo, la del arte supremo, la del descubrimiento científico y, desde luego, la del amor. La sumisión es reducirse a la voluntad del domi-nante; anonadarse para ser lo que quiera y como nos quiera nuestro dueño. Y si éste nos somete al dolor, entonces el látigo es un cable comunicante: su chasquido en la piel receptora repercute en el bra-zo hiriente, que así se entrega al sumiso... Dar y recibir, ese goce completo de la vida, se cumple a la vez en ambos.

En su silencio adivino recuerdos. ¡Cómo me gustaría asomarme a ellos, saber hasta el fondo! Aunque me hicieran sufrir. No puedo remediarlo:

—¿Os queréis mucho?

—¿Quiénes?

—¡No te burles! Esa Julia. Tu amiga.

—No me burlo de ti. Te lo pregunté por broma; no has de temer nada. Las dos nos tenemos cariño, ya te lo he dicho, y nos ayudamos, pero no es mi obsesión ni lo fue nunca. Con el afecto necesario para someternos mutuamente y hasta para dominarnos, que es lo más do-loroso.

—¿Azotar es tan duro?

—Sí, cuando es por amor: un desgarro por dentro... Pero ya no necesito herir ni vengarme.

Estallo:

—¡Yo no te azotaría nunca! ¡No podría!

—¿Tan poco me amas?

Confundido, turbado, enmudezco. ¿Negarle nada?

—¡Hasta morir, pero no me lo pidas!... Yo no soy para eso, sino para ser arcilla en tus manos, moldeada por ti, para tu goce...

Me anega su mirada, más intenso su gris y su azul.

—Cierto: Tú eres como eres y no pido más. Aunque aún has de probártelo. Recuerda: no sólo serás arcilla, te dije, sino también espada. Aún no tienes el temple.

—Dámelo, Maestra, señora mía.

¿Se duelen sus ojos? Pero su brazo es muy entrañable al rodear mi espalda, aferrar mi hombro y apretarme fuerte contra su cuerpo. Descanso mi frente en el arranque de su cuello, cierro los ojos, me llena su perfume y la tibieza de su piel. Mi susurro es más violento que un grito:

—¡No vuelvas a marcharte! ¡Y si te vas, llévame! Aunque sea para serviros a las dos, incluso mientras os amáis.

—No digas eso, Miriam.

—Lo digo como lo siento. Llévame como un perrito, como un collar. O, mejor, márcame con tu tatuaje... No vuelvas a dejarme sola.

—¿Marcarte? —Sonríe, apartándome un poco para que vea su expresión—. Me das una idea: otro sacramento en tu noviciado... Sí, ya tuviste el bautismo y acabamos de hacer confesión general. Ahora mismo... Ven conmigo.

Se levanta decidida y, desconcertada, la sigo por la residencia. Cruzamos el vestidor hasta entrar en el baño, que ilumina.

—Vas a recibir la confirmación; desnúdate de cintura para arriba... Así... Arrodíllate frente al bidé como en tu bautizo e inclina la cabeza sobre él. Quieta, sin moverte, sin mirar detrás de ti hasta que yo te diga.

Ella queda a mi espalda y oigo un roce de telas: algo hace con su ropa. Se ha quitado el pantalón pues, hasta sus rodillas, veo sus piernas desnudas avanzar una a cada lado del bidé, como un arco sobre mi cabeza.

—Inclínate bien.

Instantes después, sin ver su mano abrir los grifos, un delgado chorro tibio cae sobre mi cráneo y fluye, amarillo pálido, hacia el sumidero del recipiente. Cesa pronto y las piernas se retiran hacia atrás. Inmóvil, espero órdenes.

—Puedes levantarte.

Obedezco y la miro, vestida como antes, sus ojos brillantes, sus pómulos más destacados, el tatuaje más azul y beréber que nunca.

—Ya te he marcado; eres mi territorio. Como los jabalíes bajo los cedros en la montaña... ¿Estás contenta?

—Me siento consagrada. Bendita seas.

—Dúchate y vístete luego con lo que te dejaré preparado en el vestidor. Luego vas al salón y me esperas allí. Vamos a celebrar tu ceremonia.

Feliz con mi marca, invisible pero indestructible, me pongo bajo la ducha. Luego, en el vestidor, además de unas exquisitas medias, unas bragas y un liguero, encuentro un vestido rojo, con una abertura lateral y un bolso adecuado. A juego, unos zapatos también rojos.

Cuando llego al salón están encendidas todas las luces y veo sobre una mesa un cubo con champán en hielo y dos copas. Estoy excitada por lo ocurrido y por haberme contemplado ante el gran espejo del baño: ¡Qué visión tan distinta de mi negativo aspecto la primera vez! Me veo atractiva con bonitas piernas y ese tipo casi sin pechos de las *flappers* en los años veinte. Me ilusiona gustarle a mi Maestra; que vea cómo he aprovechado las lecciones recibidas de sus amigas.

Por la puerta del despacho aparece Farida con un aspecto inesperado. Vestida de esmoquin, como una Marlene, su pelo —esas sorpresas que suceden aquí— es ahora corto y engominado con raya al lado.
¡Cada vez más adorable!

—Estás muy bien —decide tras contemplarme unos momentos— y
¿sabes lo que he decidido? Ya no eres novicia, sino mi acompañante.

Se acerca al cubo con la botella, la descorcha hábilmente, llena
las dos copas y me ofrece una.

—Por Miriam —alza la suya.

—Por su creadora y dueña.

Bebemos.

—Ahora vamos a bailar; veremos lo que has aprendido, para ir
otro día al Club.

Maneja el tocadiscos y se desgarra un bandoneón entre violines.
Un tango.

—Señorita...

Me enlaza; me muevo sobre nubes, atento a no defraudarla.
Asombro, ilusión, entusiasmo, vértigo. Su brazo en mi cintura, su
mano asiendo la mía, me guían magistralmente. Su cuerpo me toca
y se aleja, su calor me traspasa, su aliento en mi cuello, su mejilla
incendia la mía, su muslo abre mis piernas, me arrebata la embriaguez... Su muslo entre mis piernas ¿será verdad?...

—Muy bien —me dice muy bajito—; llevarte es una delicia.

Me sofoco de júbilo.

¡Que el momento se eternice! Giro como ella me manda; me
alejo y la reencuentro, doy unos pasos a su lado y me vuelve hacia
ella, me estrecha... ¡Seguir, seguir!, pero se acaba, los acordes sono-
ros son finales. Ella lo detecta y me dobla hacia atrás; no caigo porque me sujeta, me retiene con sus brazos... y entonces, ya sin música, se dobla sobre mí y me besa muy suave en la boca. Tiene

entonces que sostenerme en vilo; mis piernas se desmayan. Quedo de rodillas ante su figura bien plantada, triunfal. Me toma la mano para alzarme hasta ella.

Oigo su voz grave, seria; la voz de mi Maestra.

—Esto no será siempre así. Y además, se paga.

—¡Con mi sangre, si quieres!

—No hace falta tanto. Sólo que ahora, por esta noche, te concedo unos pechos con un sostén especial. Ven.

Me lleva al despacho, me baja la cremallera trasera del vestido sacando mis brazos de las mangas y me pone un sostén. Lo especial es que cada copa está rellena con una maraña de estropajo de alambre, como los de acero para el fregadero, pero con algunas puntas sueltas. Me lo ciñe y me vuelve a vestir.

—Un cilicio para tu despedida del noviciado; no te lo quites en toda la noche. Quédate a dormir abajo, en una de las celdas y mañana llévame el desayuno a mi alcoba, puesto que ya la conoces… Espero que estés contenta, pero no te equivoques. Como acompañante aún te esperan pruebas y puedes perderlo todo. Prepárate.

—Estoy dispuesta.

¡Cómo progreso! Ahora pertenezco a la residencia; soy acompañante de Farida. He pasado de la celda de la primera noche a una habitación en la planta alta, pequeña, casi monacal, justo lo necesario para la sierva que soy de mi señora, pero con una pequeña ventana que me asoma al infinito, a esta luz variante y a sus veladuras, me acerca al desierto con su jaima, tan lejos y tan cerca. Ya no llevo el sostén-cilicio, aquella noche me impidió dormir, al menor movimiento unos rasguños, irritaba mis pezones y los excitaba. De todos modos no hubiera dormido, ¡tanto por asimilar desde su llegada!: su historia, mi confirmación, el baile, ¡sobre todo el beso!, en la oscuridad seguía sintiendo sus labios en los míos. Ayer fui un momento a casa por la tarde, en la ermita de papá las sandalias y Liane han perdido importancia puesto que estoy ahora junto a ella en carne y hueso.

En cambio, el cuaderno de papá es mi libro sagrado, siempre revelador: «Con frecuencia él llama a su gacela con el nombre de *Abi*; es decir, azul o, más exactamente, color de agua. Sí, soy agua y él es cauce que me moldea. Según su momento a veces soy remanso, a veces torrencial, a veces catarata cayendo en sus brazos.» Yo también soy según el talante de Farida aunque, ¡ay!, a más distancia que la gacela.

En mi celda me levanto temprano y mi vestir ya es siempre femenino, minifalda y blusa, medias, tacones para acostumbrarme a andar con ellos. Acudo al comedor, pidiendo los desayunos por el telefonillo, el mío bien sencillo, el de mi ama mejor dispuesto, se lo llevo a su alcoba, suele estar ya despierta, pero un día aún dormía, ¡deliciosa en su abandono de sí misma!, yacente escultura de ámbar, el brazo desnudo fuera de la sábana, los cabellos ondeando sobre el hombro, la placidez del rostro... Al inclinarme para despertarla se me derretía el corazón aspirando, con su perfume, su mismísimo aliento y el vaho tibio escapado de su escote... Luego el placer de servirla, ayudarla a sentarse, colocar la batea-mesita sobre sus piernas, untarle las tostadas, oler el fuerte café, negro, y luego retirarlo todo, ayudarla a levantarse, arrodillarme para calzarle sus chinelas, sus pies como palomas en mis manos, sus tobillos, imagino los muslos que el largo camisón oculta siempre deliberadamente, ponerle su bata, ir arreglando sus cosas mientras ella se va al baño, no me admite allí, me destierra, su alcoba está hecha cuando vuelve del vestidor ya arreglada... Esto no es servirla, es complacerme, empiezo a comprender que el amor transforme el dolor, si estas pequeñeces provocan chispas de felicidad… Y aún me queda el placer a solas de lavar las prendas que se ha cambiado, las que han acariciado la víspera su cuerpo y que ponen en mis manos y sentidos su olor y su tibieza. Me lleno además de orgullo: las enfermeras podrán mirarme como a una criada, pero yo soy la Conservadora de sus Prendas, La Vestal de los adornos de su sagrado Cuerpo, la cuidadora de mi diosa.

El curso de mi vida ha entrado así en un remanso apacible y, aunque eso no parece acercarme a Farida tanto como deseo, yo sería feliz si ella lo fuese… pero no lo es. Peor aún, a veces temo ser yo precisamente su problema, pues todo lo demás es satisfactorio, como me consta por mi trabajo en su secretaría y por el ambiente en la Clínica. Ha de haber algo en lo que no acierto, pues en ocasiones me contempla preocupada, o parece a punto de decirme algo que reprime, o de anunciarme una decisión no formulada… De noche, en mi cuarto, me torturo con un completo examen del día en busca de un fallo, pero no adivino en qué puedo disgustarla. Empiezo a tener miedo de que necesite otra escapada, otro desahogo, pero no me lo explico cuando apenas acaba de regresar. ¿Tan poco significa para ella mi presencia a su lado, mi constante devoción?

Anoche en mi insomnio he llorado y lo ha notado en mi cara al llevarle el desayuno.

—¿Has dormido mal? ¿Te ocurre algo?

Lo he negado, quitándole importancia y no ha insistido. Todo ha sido luego una rutina en silencio. El corazón me dolía. Por fortuna se ha marchado a la Clínica de prisa. ¡Qué tristeza, pensar en ello con alivio!

A mediodía, sirviéndole la comida en el salón, ha volcado el salero con un movimiento brusco. ¡La sal, la ofrenda al huésped! Su reproche ha sido tan violento y desproporcionado como injusto:

—¿Cómo se te ocurre ponerlo tan cerca de mi plato? Si estás mala o te pasa algo y no puedes atender, quédate en tu cuarto. Iré a visitarte.

—A quien le pasa algo es a ti —respondo mansamente—. Dime, te lo suplico, ¿no estarás pensando en otro viaje?

—No seas estúpida. No es eso.

—Ah, es otra cosa... Si se arregla como con tu Julia, no necesitas viajar. Me tienes a mano.

—¿Cómo?

—Azótame y te desahogarás... ¡Déjame hablar! Si no ¿para qué te sirvo? Al menos azotándome descargarás tu tensión, tus nervios.

—¡Ay, Miriam! ¿Sabes bien lo que pides? No eres masoca.

—No lo hago por egoísmo. Es... por ti.

Sonríe, al fin, y otra luz asoma en sus ojos.

—Úsame —insisto—, déjame servirte. ¿Es que no soy digna? Me has enseñado que la más alta sumisión es por amor: en mí azotarás carne enamorada.

Me asombra el hondo silencio; algo va a romper. Ella cierra los ojos y se encoge como golpeada. Al abrirlos le brillan desde muy adentro. Intenso el tatuaje, lenta su voz:

—El caso es que tengo que hacerlo.

Comprendo como en un relámpago; ¡el temple de la espada!

—¿Sabes? —continúa— tienes que probarte a ti misma; es ineludible. Si lo he retrasado es por ti y también, quiero confesártelo, por miedo a equivocarme otra vez. A uno que creí sincero se le empinó el machismo como cola de alacrán y dejó de fingir en cuanto me creyó conquistada.

—¿Crees falsa mi sumisión? —protesto ofendida—. Eres injusta. Y, si dudas, esas colas se cortan. Hazlo: te seguiré adorando.

—Nunca. Dejarías de ser mi deseo... Discúlpame.

—Pues entonces tómame, azótame. No dudes más.

—Sí, tenemos que hacerlo. Me voy a la consulta, pero prepárate para cuando vuelva.

¿Prepararme? Ya lo estoy, siempre, para ella. Y aunque mi cuerpo se inquieta, una sólida paz me envuelve como agua en calma, la seguridad de que era eso, de que no he faltado, de que no se marcha, de que voy a superar otra prueba y acercarme a ella. En serena alegría se me pasa el tiempo sin sentir hasta que aparece Farida y se detiene frente a mí, decidido el ademán aunque esquiva la mirada.

—Vamos.

—Gracias, Maestra.

Una sonrisa forzadamente tierna quiere animarme:

—No me las dará tu culito respingón... ¿Asustada?

Contesto siguiéndola ya por el pasillo:

—Sí, pero lo deseo. Sólo me asusta no estar a la altura.

Como papá en Teherán, pienso recordando un texto de su diario: «Si hubo dolor lo borró el ansia de darme a él.»

En la sala de aparatos me detiene ante los látigos y azotes.

—¿Cuál elegirías tú?

Me fascina una negra fusta de montar, con contera de plata; dura y flexible a la vez. Una víbora; atrae venenosamente.

Alargo la mano, pero mi dueña ataja el movimiento:

—Ésa es demasiado para una iniciación. Toma algo plano; esto no corta.

Me ofrece una ancha tira de cuero, con mango de madera. Avanza y la sigo entre los aparatos. Me detengo un instante ante el extraño reclinatorio que me llamó la atención el primer día. Se vuelve hacia mí.

—Eso tampoco. El cuerpo queda muy sujeto y absorbe todo el impacto. Te colgaré, pero no aquí. No es un tratamiento, no soy la doctora.

Te azotará Farida, tu Maestra. Y además en su terreno, en el desierto.

—Mejor. Es a Farida a quien me doy.

Bajamos la escalera al subterráneo y abre la puertecilla metálica. Ser portadora del azote de cuero me hace verme Isaac en la lámina del colegio: el adolescente cargado con la leña sobre la que arderá su cuerpo sacrificado por Abraham. Yo también voy a arder, pienso. No, ya soy ardor. Angustia temerosa y exaltada decisión.

Ante la jaima levanta ella el cierre de la puerta y me detiene allí mismo, junto a uno de los postes de sustentación. Sujeta en alto la colgadura para tener luz exterior, que deja en penumbra el fondo. Me mira; sin cólera ni triunfo en sus ojos; sólo una intensa gravedad. Me ordena desnudarme: fuera todo. Las prendas van cayendo en montón. Mientras tanto, se ha hecho con una cuerda.

—Junta tus muñecas… Así.

Las ata con destreza. Pasa el extremo de la cuerda por encima de una viga travesera y, tirando de él, obliga a alzarse a mis brazos hasta estirarme vertical, con precario apoyo de los dedos de los pies, que pronto se hace penoso. Afianza la cuerda y se adentra en la parte privada de la tienda, aislada por la cortina divisoria. Siento la desnudez de mi piel, el atirantamiento de mi carne, los olores de la tierra reseca fuera y de las especias y alfombras dentro.

Reaparece descalza, vestida con una fina blusa negra sin mangas y una falda estampada de amplísimo vuelo, con un grueso cordón rojo en la cintura. Ondula a su espalda la larga cabellera. Coloca plano, frente a mis labios, el azote de cuero.

—Bésalo. Te va a besar.

—Beso tu voluntad, mi ama.

Se coloca a mi espalda.

—Contarás los golpes tú misma, uno tras otro. Si te equivocas volveré a empezar. Quiero que te concentres.

No contesto. No ocurre nada. Aguardo con ansiedad insoportable. ¿Seré capaz? ¿Resistiré?

El golpe aplasta mi nalga derecha. Un chasquido como un aplauso, un dolor impulsándome hacia delante cuanto permite mi sujeción a lo alto. Luego un escozor candente.

—Uno —cuento—. Gracias, señora.

Aún hablo cuando el zarpazo cae en la otra nalga, más seco, más enérgico. Lo cuento y sigue otro y cuento y cuento y cuento. Los intervalos varían, los golpes estallan a destiempo; no cabe prepararse. A veces la demora es mayor y todas mis sensaciones se concentran en mi culo, globo de escozor ardiente. De pronto un cambio: el cuero hiere un muslo.

—No encojas las piernas y ábrelas —ordena mientras aparece frente a mí. Me golpea la cara interior de los muslos y se me revelan cálidos y muy sensibles. Por encima del dolor la admiro hermosísima: su negro pelo flotando de un hombro a otro con sus movimientos, la curva del brazo desnudo elegante en su violencia, el escote mostrando al inclinarse el valle entre las dos colinas de ámbar. Sorprende mi mirada en ellas y su sonrisa desnuda los blanquísimos dientes felinos; una sonrisa, sin embargo, que me asombra por teñida de tristeza. Pero no estoy para apreciar matices tras el duro correazo cruzando mi pecho en un sentido y luego en un revés, tras el cual cesan los golpes y ella desaparece a mi espalda.

Un intervalo más largo, durante el cual otras zonas de mi cuerpo ya se resienten, envolviéndome el torso y los muslos en escozores ardorosos, punzadas, carnes maceradas. Por eso la pausa no es ningún descanso, aunque de algún modo mi padecer coexiste con la exaltación orgullosa de soportarlo, de ser mártir de mi diosa, aunque mi voz vaya enronqueciendo y alguna vez el cómputo haya sido cortado por un golpe demasiado rápido. Me duele además su silencio; me gustaría oírla desahogarse también de palabra, insultarme, despreciarme, proclamar su triunfo sometiéndome: no entiendo su seria gravedad, casi impasible. ¿Es que no soy buena víctima?... Sin embargo mis rodillas flaquean, si no estuviera colgada me derrumbaría; sólo mi atadura me mantiene en pie... Basta de cavilar; se reanudan los golpes y me encienden como espuelas en ijar; se exalta mi sangre, este dolor reiterado se hace costumbre, se diluye en la masa de dolor ya acumulada, no añade más a la saturación recibida, como si hubiese un límite. La aceleración de mi sangre se torna excitante. Así, cuando ella reaparece ante mis ojos, llameante el negro abismo de su pelo, encendido su tatuaje, desnudos sus hombros y sus brazos, la agitación de su pecho, el olor fogoso de su cuerpo, componen una visión que me arrebata y comprendo que sus ojos no muestren júbilo porque no contemplan a una vencida. Mi éxtasis de San Sebastián inflama mi sexo, que se yergue imantado hacia ella. Me lo castiga con un revés de correa, no violento pero sí efectivo.

—¿Quién te ha dado permiso? ¿Cómo te atreves?

Su voz, casi alarmada, me hiela más que si hubiera sonado furiosa. Mi miembro desfallece.

—Así está bien; obediente.

Me contempla, pero la siento insegura y provoca mi inseguridad. ¿Qué podré hacer, si es que no he servido? ¿No he dado bastante juego a su desahogo? Mi temor a ello supera todas mis sensaciones...

Ella deja caer el azote y parece a punto de desatarme, pero vacila. Me mira; flota entre ambos un espacio lentísimo... de repente, impulsiva, cierra los ojos, junta su cuerpo al mío aplastando sus pechos contra mi torso, me rodea con sus brazos y planta sus labios sobre mi boca en un beso feroz, agonioso, indecible...

... Un pasmo cósmico me deja vacío, absorbido todo mi ser por esa boca devoradora. Pero pronto, de golpe, estalla en mi pecho un big-bang, un volcán absoluto, un frenesí de larva hirviente por mis venas… Todo mi cuerpo se agolpa en mi boca, donde sus labios y su lengua y sus dientes me invaden, me mordisquean, me gozan, me electrizan, me poseen… Cierro los ojos: no hay más mundo que ese beso y mi ser volcado en él. Aquella mujer que halló el cuerpo de Sebastián asaeteado: ¡Así lo resucitó, ahora comprendo!

El instante es eterno, pero acaba. Ella se desprende y, jadeante, me mira: ¡Qué fulgor en sus ojos! Y yo ¿cómo no tengo una erección gigante? ¿Cómo es posible?… ¡Tonta de mí!: Estoy más allá, he roto una barrera. Todo mi cuerpo está encendido, tembloroso, ardiente, es más que un deseo carnal: es una pasión letal; naciente y exasperada. Y me asombro de mí mismo, bajo su lúcida mirada que todo lo sabe, porque jamás alcancé antes la pasión y había desistido de sentirla: la pasión de verdad por la que se mata y se muere, la de las grandes tragedias, los heroísmos, los tormentos y las catástrofes humanas. La pasión: más exigente que la sumisión adorante, más aún que la obsesión insomne. La pasión, dolorosa y deseable hoguera de la vida.

A ella he llegado por fin y, así como el torrente rompe el dique, mi emoción se derrama por mis ojos. Farida, con dedos tiernísimos, me limpia esas lágrimas sobre mis mejillas.

Ahora sí, afloja mis cuerdas y mis manos atadas descienden. No me desplomo gracias a que me sujeta entre sus brazos y me lleva hasta la alfombra, donde me deja tendida. Me siento como el Cristo de una Pietà. Mi cuerpo se reconstruye de la conmoción: vuelven a escocer mis nalgas, mis muslos, las sendas recorridas por el azote. Empieza a desatarme.

—¿Te duelen las muñecas?

—Me duele la violencia en adorarte.

—¡Miriam, Miriam! —¡qué tierna su voz!—. Has recibido muy bien… ¿Te dolió mucho?

—Sólo al principio; los últimos golpes ya casi nada. Y dados por ti sabían a caricia.

—Traspasaste el umbral, entonces, asumiste el dolor... Entre la dominante y la sumisa el sexo conecta más con la imaginación que con la biología. Supera la carne, salta sobre ella.

Y ahora además, pienso, he saltado la barrera. Vivo apasionada. Un rugido en mi garganta... ¿Rugido yo? ¡Si nunca fui capaz! O acaso un estertor, pero es igual.

—¡Vuelve a azotarme y bésame otra vez! ¡Por piedad!

—No podría... ¿No comprendes? Para mí también ha sido agotador. Lo comprobarás cuando azotes tú, porque lo harás... y tampoco podrías tú ahora; estás temblorosa, dolorida... ¿Me habré pasado?

—¿Es que no lo harás más? —me angustio—. ¡Si ese beso fue único, mátame ahora mismo!

Otra vez el estertor rugiente. Ardo y agonizo a la vez. Su boca se acerca a mi oído:

—Que no se entere Miriam, pero apenas estamos empezando.

Me hace darme la vuelta y quedo tendida boca abajo.

—No te muevas.

Obedezco. Además mis dolores se reavivan y no me animan a moverme. No he oído sus pasos sobre la alfombra, pero su mano roza mis nalgas como una pluma. Pronto siento una balsámica suavidad que ella extiende con dulzura sobre mi piel irritada.

Al irme reconstruyendo vuelve mi temerosa duda:

—Dime la verdad ¿te he servido bien?

—¿Cómo se te ocurre dudarlo?

—A veces, al azotarme, parecías triste... Me creí insuficiente.

Me vuelve de costado para que yo pueda ver la ternura de su rostro.

—Ya te he dicho por qué duele. Pero no podía evitarse: para hacerte, para probarte a ti misma. Y me decidió finalmente tu ofrenda de ti misma, tu adoración. Pero duele azotar por amor: atando tus muñecas ya me angustiaba el dolor que te aguardaba... Sólo me sentí airada un momento, cuando tu erección sin permiso, pero fue por mi pasado y mi obsesión, lo mismo que cuando me sorprendiste en aquel probador de la tienda... Te he azotado con amor. Amor a mi manera, eso sí. No lo olvides porque necesito estar segura de ti.

—¿Qué más pruebas necesitas? —estallo, violenta.

—No quiero arriesgarme: otro desengaño, no. Y menos aún viniendo de ti, que eres quien me ha llegado más adentro. El único y quizás el último, de quien espero el sueño de mi vida. Cuando conozcas mi historia me comprenderás.

—Entonces, nuestra vida ahora, la nuestra juntas... —exclamo desesperada— ¿acaso no es nada?

Me mira seria, convincente:

—Es mucho más que con nadie. Ni el que más traicionó mi confianza logró tanto de mí como tú.

Mi pasión no se conforma.

—Maestra, señora, ¿qué soy para ti?

Se inclina hasta que su frente toca la alfombra junto a mí. Nuestras mejillas se besan como en el tango de mi confirmación. Sus labios susurran en mi oreja, estremeciéndome:

—Antes eras mi ilusión increíble: ahora, mi esperanza posible. ¿Es que no escuchaste por qué te azoté? ¡Dilo!

Vacilo, me parece imposible haberlo oído.

—¡Vamos! Dilo claro. ¿O crees que te miento?

Eso es más imposible aún. Confieso:

—Por amor, dijiste... Pero a mí, ¿por qué? ¿Qué puedo darte?

—¡Tonta! Lo que eres sin saberlo: un hombre muy mujer. Y el triunfo de ser yo quien te hace serlo. Te adiviné ya en Toledo: un manantial soterrado, me dije. A veces la caravana llega al palmeral de aguada y encuentra el pozo seco, pero el nómada experto descubre el agua bajo esa arena. Te he revelado tu género, tu identidad, y has tenido el valor de asumirlo; más valor que el de los jactanciosos machos, avasallando mujeres porque el sistema se lo da hecho... No volveré a explicártelo: acéptalo.

¿Aceptarlo? ¡Beberlo con ansia, asimilármelo, embriagarme con mi pasión! Rumio las palabras de su declaración mientras la oigo moverse y escucho tintineo de teteras y vasos. Su andar descalza es más felino que nunca, su cuerpo más ondulante, sus largos cabellos flamean como una bandera, medio enredados por su agitación cuando me azotaba, su falda flotante gira y la envuelve con gracia...

Pronto me llega, en medio de mi admiración, el perfume del té. Ella ha levantado la cubierta de una de las ventanitas, dando paso a una luz rosa y dorada. Se arrodilla en la alfombra frente a mí, dejando la bandeja entre ambos. Llena dos vasos humeantes y me ofrece uno. Sorbemos la caliente bebida con su aroma de menta; me conforta.

—Déjame ayudarte.

Entre sorbo y sorbo empieza a vestirme, impidiéndome hacerlo yo misma, con toda la delicadeza exigida por mis doloridas carnes. Su expresión es feliz; sus gestos son mimosos: es una niñita vistiendo a su muñeca. Así me cuidaba mi madre, durante mis catarros infantiles. Me ha puesto mi blusa y luego mis bragas: han sido lo más penoso. Luego la falda, dejándome sentada; ya no me duele tanto mi culito respingón. Me pone mis medias y las estira. Me calza.

—Ya está arreglada mi sumisa —sonríe satisfecha—. Una verdadera mujercita... ¿Sabes? —abrazándome—. Quedo en deuda contigo.

—¡Deudora tú de mí! ¿Qué inventas? ¡Si te lo debo todo!

—Deudora. Tú acabas de cruzar una barrera, pero yo también. Venía retrasando esto porque me asustaba el compromiso, aunque tenía ansia de superarlo: gracias a ti ya está. Y además, me dejas admirada. Tuviste que insistir. ¿Cómo reuniste tanto coraje?

Sonrio, humilde.

—Lo confieso, yo también me sorprendía porque no soy audaz. Pero por ti, por animarte yo haría... Todo; ya lo sabes...

—Pues ahora, para que te animes tú vas a dar otro paso, otro sacramento: una comunión especial. La beberás en mi propio cáliz... ¿Te acercarás devotamente?

—¿Acercarme a mi diosa? ¡Con pasión absoluta!

—Temo tus excesos; aún has de andar más camino... No sé si vendarte los ojos; recuerdo cómo te alteró la visión de mi muslo en esta jaima.

—¡Oh, señora, compréndeme! Esa visión me perseguía toda mi vida... Ahora sólo te obedeceré. Soy tuya.

—Todavía no; aún no hemos llegado a eso. Lo serás cuando te haya tomado de verdad.

—Tómame ahora, si quieres.

—No sabes lo que dices; es otro sacramento. Se celebra bajo el cetro que yo heredé de la Gran Maestra, mi iniciadora en París, ya sabes. Ahora será tu comunión y no voy a vendarte: la recibirás en tinieblas.

La idea de cumplir un rito más hacia ella me excita y su visible animación me dispone a lo que sea, con apasionado fervor. Retira la bandeja con los vasos y la tetera ya vacía y se deja caer de espaldas sobre la alfombra. Separa las piernas, doblándolas dentro del amplísimo vuelo de la falda, que forma como una tienda de una rodilla a otra y sólo deja asomar los pies.

—¡Tiéndete ahí enfrente, boca abajo; vendrás a mí arrastrándote! —ordena la voz risueña, tocada de emoción.

—Es lo que merezco.

—Así te quiero, una buena devota... Ahora levanta mi falda justo lo imprescindible para meter tu cabeza entre mis pies y penetra hacia mí por esa oscura caverna. A medida que avances arrastrándote, despacio y a oscuras, adora todo lo que encuentres, busca el Santo Grial... ¡Imagínate un hurón cazando un gazapillo en su conejera!...

¡Cómo galopa mi corazón! Ya nada me duele. Antes de adentrarme beso los deditos de cada pie, los empeines, esas joyas de carne que he tenido en mis manos al calzarlos, pero nunca desnudos en mis labios. Luego me adentro hasta el cuello en la caverna sagrada, donde el olor lanero de la alfombra junto a mi nariz se mezcla con otro aroma animal y humano a la vez, más espeso y silvestre.

Avanzo despacio besando piernas arriba, pasando de una a otra. Acaricio las rodillas excitado ya en el umbral de mi obsesión de siempre, desde Liane y el Palace hasta la revelación reciente en la jaima: las columnas sagradas, los muslos adorados, su poderío a mi alcance... Casi se suspende mi aliento y en seguida se aceleran mi respiración y mi pulso... Apoyado en los codos mis manos acarician los prodigios, arrebatándome de placer; desembarcan en sus playas suavísimas, redondas, tibias; recorren sus contornos, se desmayan en ellas... No las veo pero me ciegan; por fin llegué a esas penínsulas venturosas... Ya no son visiones fugaces sino la realidad misma en carne inmortal, donde mi lengua y mis labios se suman a mis dedos para descubrir y gozar reverentes. En ese mi destino de siempre podría eternizarme pero me llama adentro una nueva fragancia vigorosa y femenina, que llena mi cabeza como el perfume marino de la espuma en las rompientes de los acantilados... Avanzo, mis sienes se encajan entre ambos muslos, pero la dulcísima tenaza se abre ampliamente y mi boca toca el Santo Grial, donde el hurón alcanza al gazapillo... Mi pasión casi nubla mi conciencia cuando mi nariz se hunde en el rizado vello y mis labios besan esos otros labios y mi lengua los recorre golosamente y titila sobre el erecto botón hallado en la juntura... Desde fuera me acicatean suspiros; mis dientes mordisquean cautelosos, mis labios chupan y liban... El perfume se hace sabor salado en mi boca, un lujo de ostra y erizo de mar, un elixir vital... Me multiplico en ese vértice palpitante mientras mis manos acarician el arranque poderoso de los muslos; me consagro al placer de ese cáliz cuyo dichoso oficiante soy: chupo, sorbo, lamo, mordisqueo, devoro... Afuera los gemidos crecen, suenan murmullos, palabras irreconocibles; aquí dentro mi boca provoca agitaciones, un seísmo alborota la carne feliz, una crecida de néctar mana del cráter, bebo la esencia de ese cáliz ávidamente... Los pies sobrepasados allá lejos talonean mis nalgas a estilo de jinete, renovando el dolor sublimado de mis azotes; los muslos oprimen mis mejillas cabalgándome y me sacude entero un paroxismo febril en el que naufrago... Al fin, como un resorte roto, esos muslos se abren, las piernas se tienden a uno y otro lado de mi cuerpo y, a través de la tela, una mano se posa en mi cabeza. Comprendo el mensaje, repto hacia atrás y salgo del santuario...

Afuera, tras acostumbrarme a la luz, admiro a Farida extática, la cabeza desmayada, la boca entreabierta, los ojos absortos y el pecho palpitante. Al fin se fija en mí y me concede una sonrisa celestial. Siempre reptando acerco mi rostro hasta su cintura:

—No tengo palabras, diosa mía.

—¿Estás bien?

—¡En estado de gracia!

Sonríe. Su voz es lánguida, pero persuasiva:

—Acabas de vivir mucho: ¡ahonda en ello!... Y ahora déjame; yo también voy a revivirlo... Pero toma. ¡Y recuerda: a ninguna otra persona he dado nunca lo que te llevas ahora!

Deja en mi mano un diminuto objeto y yo beso la suya. Bajando la escalerilla al subterráneo noto mi entrepierna mojada y viscosa: me he corrido en mis bragas sin darme cuenta, como las niñas de primera comunión que se hacían pipí... Es la arrebatada violencia de la pasión, mucho más alta que el deseo: la vive todo el ser y no solamente el sexo.

Evoco amaneceres juveniles tras poluciones nocturnas que me dejaban confuso: ocultárselo a mamá. Ahora ella lo sabrá, se lo diré, no quiero ocultarle nada. Y además estoy orgulloso de mi pasión al fin: ¡La gritaría a todos los vientos!

La cerrada puertecita de hierro me detiene, pero reparo en el pequeño objeto recibido. Es justamente la llave que la abre. ¡Y no la ha dado antes a nadie!... Ardo en la más alta cima de la vida.

Mientras arreglo el despacho de Farida miro casualmente por la ventana y veo detenerse el tranvía ante nuestra cancela del jardín. Me sorprendo, pues los clientes acceden a las consultas por la puerta de la fachada principal, y me asombra más aún ver a la persona que se apea, antes de que el vehículo reanude su marcha. Es un tipo extraño, pero no da la impresión de un paciente despistado... De pronto me echo a reír: es mi tío Juan; sin duda viene a verme. Está igual que en Ras-Marif y que en nuestro pasado encuentro, con su guardapolvo y su gran sombrero de paja protegiéndole la calva.

Con un alegre saludo me acerco a él. Nos abrazamos. Se aparta y se aleja un poco, para contemplarme de pies a cabeza. Sus ojos me aprueban, cariñosos.

—¿Me reconoces así, tito?

—Por supuesto... Claro que ya lo sabía, pero no es lo mismo que verte... ¡Estás muy bien!

Le invito a entrar pero él prefiere que hablemos bajo el pino donde me situé por primera vez con el ramo de flores cogido para mi ama. No necesito explicarle que ahora soy Miriam y sólo le pregunto cómo lo sabe.

—Mujer, aquí se sabe todo.

—¿No te choca el cambio de quien era tu sobrino?

—¿Te da reparo tu aspecto? —inquiere extrañado.

—¡No! —proclamo—. Pero prefiero que no te lo dé a ti. Eres el primero que me ve así, de todas mis personas queridas.

—¿No te han visto tus padres?

—Antes. Así no.

Piensa un momento, como sorprendido. Pero no lo comenta.

—A mí no me choca. Haces bien; es tu vida y no dañas a nadie. Ahora tienes libertad para ser tú misma. ¡Te felicito!

—¿Felicitarme? ¿Tanto como eso, tito? ¡Me alegro!

—Y también por tu comunión. La primera; pues no será la única.

Le abrazo jubiloso. También sabe eso.

—Y te aseguro una cosa: ningún hombre ha llegado tan lejos con ella. Ni su marido, ni el amante que tuvo.

—¿Será posible? —pregunto conmovido. Pero no puedo dudar de quien cada vez se me aparece más dotado de sabiduría y hasta lleno de adivinación. No me sorprende en él, y mucho menos aquí en estas Afueras transparentes.

—Como lo oyes. El marido, que la acompañó aquel año en tu casa, sin duda se lo hubiera permitido; pero sus creencias lo hacían impensable para él, y su blandura le impedía forzarla a nada…

Siento un febril impulso de abrazarle, soltar una cascada de palabras, decir en alta voz lo que rumio todo el día… Pero eso es mi tesoro; mejor no derramarlo. ¡Salvo si es junto a ella!

—Sí, me sentí feliz… No me explico cómo fue posible.

—Porque no te haces cargo de lo que eres: un hallazgo único. Ella es una media naranja muy difícil y tú eres su otra media de verdad. No eres sólo una sumisa, sino lo que ella ansía por encima de todo: una sumisa viril. ¿No lo comprendes? Ella no podría jamás entregarse sin llevar las riendas... Por eso has llegado donde nadie antes.

—¿Por qué dice entonces que aún no está segura, que todavía no quiere tomarme? —me quejo rápida—. ¡Y yo me muero porque me tome y me use!... Se me está negando...

—Todo gran deseo tiene una gran espera. Negarse nace a veces de la misma violencia del deseo.

—¿Tú crees? —me ilusiono, deseando creer que en ella pueda haber tanta pasión como en mí. ¿Será así?

—Tenemos una prueba en la familia. Ya te conté cómo fue la vida de tu tía Luisa con su marido.

—Sí, y me dolió, creyéndola muy desgraciada. Pero me aseguraste que sucedió lo contrario.

—En efecto, fue muy feliz: Vivió la vida que quería. Cuando surgió aquel pretendiente yo decidí influir en favor de la boda, contra la opinión de todos. La alternativa era morirse en Ras-Marif amarrada a la máquina de coser y nunca me arrepentí. Él y ella se necesitaban mutuamente. La prueba: él había tenido otras mujeres y ninguna le duró mucho; en cambio, con Luisa vivió años, hasta el final... Te han contado la muerte de ella pero ¿sabes cómo acabó él? Días después del entierro de Luisa acudió solo al cementerio, se plantó frente al montón de tierra donde aún no había podido colocarse la lápida encargada, se metió en la boca su revólver de reglamento y se disparó un tiro. ¿Necesidad de la víctima? ¿Sensación de acabamiento? ¿Acaso descubrir que había amado a su manera, sin saberlo? ¡El amor tiene tantas encarnaciones!... Tú mismo transformada en Miriam, ¿no es fuerte amor?

—Y sin embargo, Farida no está segura... Pero lo mío es diferen-

<chc\n233

te, tito. Lo mío es hacerme quien de verdad soy. Ella me explicó lo del género sobre el sexo, me reveló mi identidad... mi amor surgió después.

La sonrisa de mi tío es provocante:

—¿Eso crees? ¿Acaso no sentiste nada allá en Toledo, ni en el hotel Palace?

Reflexiono.

—Quizás tengas razón, pero da igual. Lo importante es que Miriam no duda ni de su género ni de su amor. Si soy entonces como me desea ¿por qué no me acepta de una vez? Dice que me quiere, que me azotó por amor, pero me tiene a distancia y vivo desatinado, como Tántalo: ella a mi vista pero no a mi alcance... Me trata como mi madre: también decía quererme y me hizo desgraciado.

—Tu madre quería que fueses lo que ella quiso ser.

—¡Si no me dejaba! ¡Si yo me ponía sus zapatos y jugaba con su ropa por adoración, por imitarla, para ser como ella!

—No me entiendes. Ella no quería que fueses igual, sino contrario: lo que ella no pudo alcanzar. Ella hubiera dado todo por ser un hombre. En términos de Farida, su género era viril, como el de su admirada Eberhardt. Tenía pensamiento audaz y talento literario, pero eso entonces más bien perjudicaba a la mujer, asustando a los pretendientes, sobre todo en el ambiente militarizado y colonial del Norte africano. Esperó algún tiempo que las relaciones oficiales de tu padre ayudaran a su despegue para volar luego con sus propias alas, pero el aire de aquel medio era demasiado empobrecido. Hubo de resignarse al fracaso y por eso quería que fueses hombre, uno de los opresores, no de las vencidas. No podía soportar al macho... Mira, como tu Farida: se comprenderían bien las dos.

Sus palabras finales me dejan impresionada. Evoco vivamente la visita de Farida a mi casa, su enfrentamiento al retrato de mi madre en la sala, aquel hueco en el tiempo en que, estoy ahora seguro, ambas dialogaron: «Se entendieron», como ha dicho mi tío. ¡Y el resultado: aquel sueño, danzando ambas enlazadas el *Vals triste* de Sibelius! Sí, una nueva luz; todo encaja.

Todo encaja menos algo. Esa frase que me ha dolido porque no la veo verificarse:

—Mi Farida, dices... ¡No te burles de mí!

—No me burlo, querida mía. Tu Farida, aunque no sea tuya, porque no es de ningún otro ni otra, ni puede serlo y ella lo sabe. ¿No se te ocurre que tenga sus motivos para no aceptar a un hombre, aunque te identifiques con tu vestir de ahora y te entregues a sus azotes y a su voluntad?

—Ha aludido a una historia pasada, pero ni siquiera me la confía.

—Yo la conozco.

Se abren mis ojos, mis oídos, mi mente. Mi actitud le exige hablar.

—Lo supe en aquel mismo viaje a la Kabylia causado por la muerte de Luisa. La historia era muy conocida en Fort-National, por la personalidad de su difunto abuelo, Si Mojtar, un tipo impresionante... Yo llegué a verle a caballo, en época anterior, cuando estuve unos meses destacado durante mi servicio militar... Verás, muerto ya aquel abuelo, un poderoso miembro de la etnia vecina la pidió en matrimonio al nuevo jefe de la familia, el tío de Farida. Ella se resistía: habitaba ya en Argel con su madre cristiana, iba a la universidad y vivía a la europea. El tío, más débil que el abuelo, no consiguió obligarla y la etnia no quería problemas con la administración francesa cuya ley amparaba a la muchacha. El pretendiente lo hizo cuestión de prestigio y ofreció una dote magnífica con garantías de libertad personal dentro de los usos tradicionales, pero fue inútil. Entonces desistió y pareció resignarse, pero dos años después, en un viaje de

Farida a su tierra, el pretendiente desairado la raptó y la violó. En principio el hecho hubiera provocado una lucha entre etnias, pero la propia Farida y su madre se habían descastado por su rebeldía a su jefe. Gracias a eso el ofensor salió del paso con un tributo, recuperando además su prestigio en el país. Los parientes de Farida aceptaron el pacto, pero meses después el violador murió de un disparo de fusil cuando cabalgaba por el bosque camino de su casa, sin que se encontrase nunca al tirador. La gente en Fort-National susurraba que fue la propia Farida.

¡Qué torbellino de ideas en mi cabeza! Todas para darle a ella lo máximo. Echar a correr ahora mismo en su busca, ofrecerle toda mi sangre en desagravio, ¡qué sé yo!... Niñerías, pero fruto de mi sacudida al escuchar la historia que, sobre todo, pone mi pasión al rojo: comprenderla hasta su fibra más íntima, quererla más que nunca. Y, en fin, ofrecerle lo más difícil, lo casi imposible en mi ardor: mi paciencia esperándola... Me doy cuenta de que mi tío sigue hablándome.

—Te decía, simplemente, que perseveres, que no lo eches todo a rodar por impaciencia. Cuando ella te parezca sin razón, piensa que la historia vital no se mueve por razones sino por emociones... Te quiero mucho ¿sabes? y me gusta verme en ti.

Le pediría que aclarase esas palabras sibilinas pero, desde nuestro banco, oigo llegar el Buick. Me levanto, voy hacia la puerta, recibiendo a Farida que se apea, y me vuelvo para presentarle a mi tío, pero ya no hay nadie en el jardín. La alivio del peso de su cartera y la sigo hacia la casa.

Por la noche en mi celda, vuelvo a estas últimas palabras. Tras ellas hay sin duda otra historia, la de ese tito Juan que en mi infancia amé por su bondad y su ternura, pero descartándolo como un vencido abúlico que perdía el tiempo en el cafetín moruno. Ha hecho falta ahora, mucho después, toda la transparencia con que vivimos en Las Afueras para descubrir su peligrosa internada hacia el Rogui y su superioridad sobre el resto de la familia en realismo y buen juicio. Su sabiduría sigue el consejo de Arjuna en el Baghavad-Gita: actuar como es debido sin ligarse al resultado. Pero la revelación trascendental, la que ilumina mi insomnio con rojizos resplandores es la traumática historia de Farida. Ahora se me aparece tan en alto sobre mí que la consideraría imposible si no fuera porque, al mismo tiempo, mi avivada pasión me ensalza. Tendido en mi cama, en la oscuridad de mi celda, la veo apostada junto a un camino boscoso, poniendo a cierto jinete en el punto de mira de su fusil; la veo apretando el gatillo y lamentando que esa muerte no pueda ser más lenta y dolorosa. ¡Farida, Farida!

Tu nombre es ahora, sin más, mi letanía. No necesito añadir nada.

No puedo remediarlo: estos días en que toca cuidar sus cabellos tardo en peinarla todo lo que puedo; mi adoración convierte la tarea en un rito. ¡Qué voluptuosidad encuentran mis manos en esa brillante negrura que me acaricia ondulando como oscuro arroyuelo! ¡Y su olor embriagante, almizclado y agreste, unido al de la piel de cuello y hombros! Paso despacio el peine, recuerdo que esos cabellos se desmelenaron al golpearme y tomo conciencia de que ella confía tanto esplendor a su nueva Miriam, a la que se entregó al azote y ahora la sirve en apasionado silencio. Y veo en el espejo, al mismo tiempo, el adorado rostro con el tatuaje que yo aspiro a ostentar algún día como perenne señal de ser suya... Cuando termino, un suntuoso manto de negro terciopelo cae sobre su espalda: ella misma se lo ata con un simple lazo, alzando para ello sus brazos al juntar las manos en su nuca. ¡Qué exquisita figura de tanagra en el espejo; qué esfuerzo necesito para no cerrar mis brazos sobre su pecho y besarla! Mi sumisión apasionada convierte en actos eróticos todos mis servicios, hasta las tareas menores y más rutinarias.

Ahora resultan incluso más gratas, precisamente porque no son las únicas, sino que se intercalan entre otras muchas convivencias con mi ama, mi amor, ¡qué poco difiere una palabra de la otra! Salvo en la Clínica, requiere mi presencia casi constantemente, en las comidas, en su despacho, usándome como secretaria, debatiendo conmigo algunas cuestiones, aleccionándome en muchas más... Tengo la prueba de mi nueva situación junto a ella en ese Toisón de Oro pendiente de mi pecho: la llavecita de la puerta metálica de la entrada a su desierto. La gané colgada de la viga en la jaima, ofrecido mi cuerpo enamorado y fue el mejor recuerdo de mi comunión ¡Gloriosa, marcadora ceremonia! Los muslos ansiados toda mi vida apresaron convulsos mis mejillas con su tibia seda, su elástica firmeza, su poderío. No me has permitido verlos para adorarlos, Farida, ni siquiera al ayudarte en tu alcoba cada mañana, y esa ocultación me ha estado doliendo hasta que, al conocer tu pasado de víctima violentada, he comprendido tu herida y tu cerrada defensa contra los humillantes violadores legales de la mujer. Ya no hay malentendidos, ya has dado incluso a mi carne el temple de la espada, ya te has convencido de que soy como tú me deseas y que puedes tomarme como un fruto maduro, cultivado por ti. Por eso me tienes ahora aguardando con ansia temblorosa la prueba hace tiempo anunciada y que por fin anoche me fijaste para hoy: el ritual del Cetro de tu Gran Maestra... ¡Bienvenido sea! Todo lo acepto, pues vivo en la esperanza. Tras haber pasado ya bajo el látigo me identifico contigo —¡culpable, osada delicia!— imaginándote atada tú también y flagelada por tu amiga. Por ese camino amoroso del dolor hacia el placer te alcanzaré mejor, el seguido por los disciplinantes para acercarse a su dios.

Pero es mi diosa quien se acerca a mí ahora mismo. Aparece arrogante, estatuaria, la oscura cascada de su cabellera perdiéndose tras sus hombros. Me intimida a pesar de su sonrisa, su mirada afectuosa, su voz tierna.

—¿Estás dispuesta?

—Soy tuya. Tómame.

—Voy a poseerte. ¿Sabes por qué no lo hice antes, cuando me lo pedías? Porque no podía. Hace tiempo me juré por este orgullo —se toca su tatuaje— no volver a ser de ningún hombre.

Me lanzo. Ahora o nunca.

—¿Acaso no soy aún bastante mujer? ¡Un hombre muy mujer! Así me definiste. ¿No te basta mi género ni mi conducta? ¡Móntame, amazona! ¡Hazte conmigo una mujer muy hombre!

—Amazona, sí; pero has de hacer algo más; recibir en tu carne lo que hacéis recibir a las mujeres. El último escalón hacia la degradación entre los tuyos; el más alto en tu ascenso hacia tu femineidad y hacia mí. Me sentirás dentro de ti como la hembra siente al macho... si aceptas.

—¿Lo dudas? ¿Qué hablas de degradación? Mi dignidad está en vivir como quien soy y quien soy es ante todo amarte, ser tuya. Tus azotes, dolor en otros, me dieron placer. Ahora me ofreces el orgullo de ser tuya hasta en mis entrañas... ¡Sí, ábreme, poséeme, desgárrame! Quiero sentirme bajo tu poderío sexual, pasiva para tus jadeos y tu goce de ti... Incluso aunque luego me desprecies.

—Eso no. No te abrirá mi desprecio sino mi amor. Alguna vez violé a otros, pero jamás enamorada. Al contrario, con vengativa ira y con jactancia profesional; jamás con amor, repito... Te lo juro: por amor será mi primera vez.

Su beso es como el que me gané colgada y azotada; arde mi pasión como entonces.

—También será para mí la primera. Poseerás a una virgen, como tú te mereces.

—Entonces no esperemos más. Vamos a nuestra capilla.

Cogida de su mano soy llevada hasta el vestidor. Escoge para mí unas medias, un liguero y una túnica corta muy sencilla, todo en blanco, lo mismo que las sandalias.

—Nada de bragas; te van a durar poco —comenta risueña, saliendo del cuarto y dejándome sola—. En todo caso serían rojas, color del sacrificio.

El de Isaac, pues la palabra me recuerda mi obsesiva estampa. Me imagino arrodillada, doblado el torso; ella, el sacrificador, alzará el arma para asestar el golpe. Pero ¿qué arma?

En ese instante reaparece llevando en la mano el alargado estuche que más de una vez me había llamado la atención en su alcoba y que nunca me atreví a abrir. Lo deja sobre la mesita y, en silencio, la veo escoger su atuendo: una falda corta de cuero, sangrientamente roja, ceñida por un ancho cinturón negro, medias autosujetas negras también, muy largas, zapatos de alto tacón y un breve chaleco como de vaquero en cuero negro sujeto por delante sobre sus pechos.

Me ordena pasar al baño para vestirme allí. Ella lo hará en el vestidor. Como siempre, me oculta su desnudo.

Entro en el recinto de agua, luz y espejos que hemos convertido en capilla para mis sacramentos. Me arreglo rápidamente y espero. Ella aparece majestuosa, con el estuche en la mano.

—Estás bien —aprueba—. En Kabylia yo tendría que depilarte el pubis, como a todas las novias, pero no quiero esperar.

—Yo tampoco.

—¿Tienes miedo?

—Como una novia. Pero también ilusión. Y violento deseo.

—Mientras se llena el baño te mostraré a tu señor.

El arma. Abre el estuche y extrae un objeto cilíndrico envuelto en seda. Aparece al retirarla un olisbos, un falo artificial muy bien modelado a imitación humana. No es desmedidamente grande, pero sí lo bastante para anticiparme una dolorosa invasión.

—Te anuncié que quizás un día llegases a conocerlo y mi esperanza se ha cumplido: te has hecho digna. Mi látigo de camellero, el que viste en la jaima, venía a ser el bastón de mando de mi abuelo; éste fue el cetro de mi gurú, mi Maestra e iniciadora, la nacida uled-nail, Madame d'Honville. No lo he usado jamás; con mis clientes empleé otros más vulgares ¡como si supiese que ahora lo estrenaría con mi amor! Es de raíz de olivo y está forrado de cabritilla: toca esta piel tan fina… ¡Bésala! Ahora también tienes amo.

Beso reverente a mi invasor. Huele a cuero perfumado y, en efecto, es suave como el raso. Lleva unas correas para sujetarlo a las caderas y, en una, leo la inscripción en árabe en letras doradas: «Soy el sultán secreto.» En otra reza: «Soy el jinete infatigable.» De su base y en dirección opuesta surge otro pene casi igual, para el placer simultáneo de la que lo use como amante activa, ciñéndolo a su cintura. Farida me hace notar que son separables pero que los usará unidos.

—Así me harás gozar moviendo bien tus caderas cuando te tenga empalada.

—Me desviviré para tu placer. Quiero hacerte feliz.

—Lo soy sólo de pensarlo. ¡Lesbiana violando a un hombre, qué morbo! Romper tu virginidad para que te sientas mujer… Estoy archihúmeda. ¡Y tú excitada!

Es cierto. Estoy casi erecto al meterme en el baño, cuyos grifos acaba de cerrar.

Me detiene un momento:

—A ver cómo te moverás para mí.

Muevo mi culo de espaldas a ella lo mejor que imagino. Noto que me ruborizo. Ríe satisfecha y me da una palmada en una nalga para hacerme entrar en la bañera.

Ella misma me enjabona, me enjuaga, me aplica luego una crema hidratante y perfumada, me seca amorosamente y termina con un beso en mi boca, linguado y profundo.

—¿Dispuesta a que te prepare tu amazona? —me pregunta en un susurro.

—Te espero ansiosa.

—A cuatro patas, entonces… Así… Va a trotar bien mi jaquita.

Por el espejo la veo quitándose su falda. Al fin descubro sus muslos, tan besados en mi comunión, aunque ahora cubiertos casi del todo por las altas medias: dos columnas llenas y esbeltas a la vez. Le oigo un suspiro al introducirse el pene menor en su sexo. Queda a mi espalda y vivo una tensa expectativa mientras supongo se sujeta las correas en torno a sus caderas. Reaparece en el espejo todopoderosa: de su entrepierna brota amenazador, imponente, el agresivo espolón, el sultán secreto del harem.

—Gracias por ofrecerte —me dice suave, inclinándose para besarme en el cuello.

Con una mano separa mis nalgas. Moja mi ano una sustancia fría y untuosa que su dedo me introduce, moviéndose insistente, entrando y saliendo, girando, rechazando circularmente la pared muscular. Otro dedo se le une, me ensanchan y trabajan ambos la abertura, la habitúan: es molesto, pero no doloroso. Al fin los dos se retiran, dejándome vacío; casi los echo de menos. Estoy recibiendo en esta capilla, se me ocurre, el último sacramento: esta unción sin duda extrema.

Mis nalgas son separadas al máximo, con una mano en cada una, y una dura punta redondeada toca mi orificio y presiona cuidadosa contra él. Por instinto me contraigo y una recia palmada me azota con violencia.

—Relájate y aguanta, mi amor. Recíbeme.

Entre mis muslos penetran los suyos, enfundados en las medias, y el roce es excitante. La punta del arma presiona firme, implacable, se obstina contra mi oscura diana, misil bien dirigido. Ahora las manos se aferran a mis ingles, en la juntura con mis muslos. La presión crece, crece. Me echaría yo adelante aun sin querer, si no lo impidieran esas manos apretándome hacia ella… De repente…

—Ay. ¡Ay!

No he podido sofocar el grito al sentirme cruelmente abierta, casi desgarrada por la intrusa cabeza que, una vez dentro, se queda inmóvil. Respiro hondo, jadeante.

—Calma, jaquita, calma; ya pasó lo peor.

Se dobla sobre mi espalda, acaricia mi pezón derecho y me susurra:

—¡Te adoro!

El dolor dilatante es un verdadero empalamiento. La cabezota se adentra, la sigue una barra inflexible. Avanza lenta, implacable, me va llenando. Saltan mis lágrimas, sudo afanosa. Sin querer, sintiéndome menos aferrada, me echo hacia delante, como para escapar.

—¿Me retiro? —pregunta cariñosa, inquieta.

—¡No, todo! ¡Lo quiero entero! ¡Móntame, galópame, agótame! —grito entre lágrimas y me echo atrás parar empalarme yo misma. La barra avanza; me pregunto hasta cuándo.

—¿Ves cómo te quiero, cómo te doy mi amor?

—Y yo me doy a ti, ¡sigue!

La gloria del martirio, pienso. Exactamente eso: el mismo dolor exaltante, ofrenda a mi señora todopoderosa, felicidad de darle su placer. El duro cordón umbilical adulto que ahora nos une nos hace hermanas siamesas. Farida conquista mis entrañas, siembra en ellas su fuerza, su dominio, su poderío… ¡Ya no puedo darme más!

Cesa el avance; noto su vientre contra mis nalgas.

Ha tomado posesión de mí, de mi piel y mis adentros, de mi ecuador y mis polos. Total.

El espolón me llena. Su maza invasora me posee. La siento retroceder y casi grito para impedirlo, pero no hace falta: sólo está iniciando el galope hacia el goce. Casi me abandona y sufro del vacío pero, deteniendo su reflujo en la misma orilla, vuelve a subir la marea, ahora más rápida. Recuerdo sus palabras y muevo mis caderas, me contorsiono de cintura abajo. Oigo su sorprendido gemido de placer y todo mi dolor se torna júbilo.

—¡Buena chica!… Así, muévete, sigue trotando —exclama mientras me clava su arpón ya sin retenerse y yo ritmo con ella mis movimientos. Pensar que estoy manejando el otro espolón dentro de su sexo, enviándole así mi mensaje de amor, me eleva al éxtasis.

Y ya sin palabras, ella galopa, se enardece, lanza sus embestidas una tras otra, me espolea con el émbolo apasionado. Yo soy su rompeolas, aguanto, resisto, me muevo también dentro de ella, gozo el choqueteo de sus muslos contra los míos, de su vientre contra mis nalgas, de sus manos casi arañando mi espalda, de su arpón escociéndome, irritando mi vientre… Crecen sus jadeos, sus gemidos, un golpe suyo de entusiasmo me arranca un alarido… Ruge palabras sueltas; «qué delicia»… «qué bien trotas»… «qué virgen eras»… De pronto grita al cielo y se dobla sobre mis hombros, recibo un convulsivo mordisco en un hombro y se queda inmóvil sobre mí. El monstruo en mi vientre, enorme como una reina de termitas en su antro, llena y pesa y me impone su presencia pero, apaciguado su ímpetu, ya no me duele: más bien confirma mi amor, testigo de excepción de mi entrega. Poco a poco la Farida que ha descansado su cuerpo sobre mis espaldas arañadas, retira su presencia de mi hondura, con mimo, con reticencia. Lo que me duele entonces es la ausencia progresiva, el resbalar hacia ese vacío que corta nuestra unión umbilical:

Ya he nacido mujer. Ella, todavía respirando acezante, se tiende boca arriba a mi lado, mirándome con ojos velados por la felicidad: su rostro expresa la cima del éxtasis. ¡Qué cabal modelo para pintar a una monja mística en levitación, en pleno arrobo! La oigo pronunciar, mirando más allá de mí, más allá de todo:

—Me has dado lo que esperé toda mi vida, lo que desesperaba de alcanzar.

El olor a sexo llena esta capilla lustral. El espolón emergiendo aún de su entrepierna boca arriba, entre los muslos codiciados y adorables, revelados a mis ojos en su forma aunque cubiertos por las medias todavía, se levanta hacia los cielos firme y sólido como un lingam de templo shivaita. En su extremidad veo un rastro de sangre; la prueba de mi sacrificio, mi ofrenda. Farida lo ve también, alcanza una toalla próxima y limpia con ella el falo. Despliega el lienzo manchado de rojo.

—Podríamos enseñarla a los invitados de la boda, como en mi tierra. Me has dado tu virginidad, niña mía.

—Niña no; ya me has hecho mujer. Tú, mi primer hombre abriéndome.

—Y tú mi primer hombre abierto... Ya puedo ser tu mujer en nuestras bodas.

—¿No acabamos de celebrarlas?

—No del todo, amor. Nuestras nupcias son dobles. Vivimos andróginos, turnándonos en el sexo, disfrutando los dos roles, ambos encima o debajo... ¡Qué deleite!

Acostada como está me atrae a ella. Me tiende a su lado y quedamos quietos, cuerpo contra cuerpo, latiendo al unísono las sangres enamoradas.

—Ahora a completar la boda: a ti te toca —dice al fin ella.

Se desprende de su espolón y ahora cubre su desnudo con una simple túnica. También me hace dejar mi ropa.

—Nada de blanco. Ya no eres una novia. Ni tampoco novicia. Eres mi igual, hermana profesa.

¡Hermana! Saboreo la palabra, que me sitúa a su altura, mientras ella me viste: Caftán azul y pesado cinturón de plata Kabyla sobre tanga negra y medias como las suyas, autosujetas.

—Para ti ahora el color. Tu blancura ha estallado, revelando lo que el blanco lleva dentro: todos los colores diversos de la vida.

Me entrega unos zapatos negros de alto tacón y concluye:

—Para que pises fuerte en tu boda. Será en mi jaima, la casa de la novia. Así es en mi tierra.

¡Su jaima! El templo donde adoré su muslo entrevisto, donde recibí su beso y desperté a la pasión. Beso la mano que acude a coger la mía y juntas, desposadas, recorremos el pasillo, abrimos la puertecita del paraíso y entramos en el subterráneo hacia el desierto. Subimos los escalones, nos envuelve la vasta luminosidad, nos traspasa el vigor afilado del aire seco. La jaima nos aguarda. Farida levanta la cortina exterior y me hace pasar. Cruzamos el espacio que ya conozco y me guía hacia el fondo. Allí me detiene.

—Espera.

Coge algo colgado y se arrodilla ante mí, ofreciéndomelo. Es el látigo del camellero, el cetro de su abuelo.

—Soy tuya. Haz de mí lo que quieras. Puedes azotarme.

Dejo el látigo a un lado. Tomo sus manos y la hago levantarse.

—Te quiero a mi altura, hermana, no a mis pies. Quiero verte toda, ahora yo.

—Entonces, llévame.

Levanta el lienzo que sirve de puerta. Me mira y adivino: la cojo en brazos como ella desea. Es ligerísima pero su peso en mis brazos es el de un mundo. Penetro con ella, la beso y la dejó en pie. Avanza hasta el fondo y levanta la tela que cierra una gran ventana posterior abierta al infinito.

La comprendo. Quiere dejar atrás la residencia, la ciudad, todo. Sólo nosotros ante esa inmensidad, bajo esa intensa luz deslumbradora.

Ahora veo bien las fastuosas alfombras y el enorme lecho. Me desnudo y me arrodillo ante ella en la tupida alfombra.

—Súbete la túnica despacio, muy despacio.

Aparecen sus rodillas y amanecen sus muslos. Ya no son nuevos a mis ojos, pero ahora son míos. Mis manos siguen adorantes el alzamiento del vestido, acarician las medias, luego la corona de blonda que las remata y por fin, cerca del vértice donde comulgué, la satinada piel, la elástica firmeza de carne ámbar. Retiene el vestido en su cintura.

Ahora mis manos invierten el camino. Se aplican, reverentes, a hacer descender una de las medias, ofreciendo por fin ese muslo a mis ojos, hasta retirarla del todo. Al intentar lo mismo con la otra noto en Farida una breve reticencia, que me explico apenas la media ha descendido algo pues aparece la causa a mis asombrados ojos: en la cara interna del muslo, donde la piel es más suave y acogedora, una marca a fuego rompe la lisura, una media luna violácea. ¡Por eso me ocultó siempre su desnudo!

—Me marcaron por la fuerza y a traición. Nunca la dejé ver; ya te explicaré.

—No hace falta. Lo sé. Y quisiera borrártela a besos.

Mis labios depositan unos cuantos y, cuando la siento tranquila, continúo:

—Quítate ahora la túnica y abre las piernas.

Obedece, separa los pies y, entre la crespa negrura de su vientre aparece la hendidura púrpura, el cáliz donde comulgué a oscuras. Su color me embriaga, ciño sus caderas con mis manos en sus nalgas, acerco mi rostro al tabernáculo, aspiro y beso, lamo y paladeo ese ardor expectante. Seguiría así pero me contengo. No quiero hacerla esperar. Ni puedo.

Me echo hacia atrás en el suelo sin moverme y veo en su cintura una fina cadenita de oro. La miro interrogante.

—La he llevado siempre como barrera contra los hombres. Desátamela tú, que te me has dado… Pero ¡no me falles, no me dejes! —exclama con la voz turbada, oprimiendo mi cabeza con sus manos contra la plana lisura de su vientre.

—Soy tuyo y tuya; te amo como me deseas y como eres, ambos las dos cosas, andróginos. Y además, por hermanas, incestuosas: seremos todo.

Me desprendo del abrazo y miro hacia arriba. Esbelta como una palmera, altas y firmes las granadas maduras de sus pechos, con amplias, oscuras, morbosas areolas: el árbol de la vida.

Me incorporo despacio, a lo largo de ella, mi lengua reptando por ese tronco de miel, explorando el secreto del ombligo, pasando de un globo a otro, de otro a uno, subiendo al fin por la garganta hasta la boca. El árbol se estremece, mi sexo erguido se manifiesta y, sin retirar mis manos obsesas de su espalda y de sus nalgas, la hago ir hasta la cama donde me desprendo de ella y me tiendo a lo largo, el sexo enarbolado.

—Ahora yo mando —dispongo—. ¡Móntame!

El destello en sus ojos es su júbilo. Pero vacila, como si deseara rendirse más pasivamente.

—¿No comprendes? —insisto—. Vivirás lo contrario que aquella violación cuya marca llevas. Ahora viólame tú.

—Gracias mi amor; me adivinas. No creí que se pudiera ser aún más feliz.

—¡Vamos, obedece o te azoto!

Ríe ante mi broma y se yergue sobre mi cuerpo yacente, un pie junto a cada uno de mis costados.

—Cuando yo mande estarás tú encima —me advierte.

—Sí. Igual seremos jinetes que montura.

Nuestras sonrisas son gemelas, imaginando los juegos que nos esperan. Admiro extático: mi coloso de Rodas; hecho yo el navío llegando a puerto bajo sus piernas... Mi ama, mi ideal, toda mi vida deseada. ¡Qué dominante reina, qué espléndida figura! Las piernas un compás, con su vértice fragante y encendido; el torso ostentando sus frutos; el rostro devorando ya con la mirada vencedora al amante bajo su poderío. Y yo, tierra aguardando la lluvia, su advenimiento. No el descenso de una blanca paloma, sino los siete arrebatados colores del iris, la pasión y el abismo, el halcón que nos devora haciéndonos vivir.

Se acuclilla acariciándose sus pechos, preparándolos; empuña mi rígido sexo estallante de sangre, obseso hacia su meta como un misil a punto. Su femenina fronda roza la punta viril y la estremece, su mano sitúa mi erección ante su blandura húmeda y elástica. Una tibia resistencia me engulle morosamente, ajustándose y ciñendo. Encojo mis piernas para dar apoyo a sus nalgas, como al buen jinete la alta silla, mientras la siento empalarse hasta el fondo y regodearse bien clavada en lentas oscilaciones antes de levantarse despacio, despacio, hasta casi perder el contacto. Repite el goloso descenso y empieza la carrera, primero al paso, pronto al trote. Sus pechos basculan a compás, su mirada me posee, su boca entreabierta gime gozosa, inventa sonidos... «¡Te quiero!» exclama de golpe y se lanza al galope.

Mis manos acuden a mitigar los saltos de los pechos, a disfrutarlos protegiéndolos de su propia furia, mis caderas secundan sus rebotes... Todo mi cuerpo es cabalgado, espoleado, absorbido por el ansia hacia delante y hacia lo alto, como si juntos levitásemos... Me integro en carne y mente con mi jinete, que contemplo a contraluz sobre el fondo del horizonte infinito donde la claridad crece, se vuelve ardiente, intensísima blancura... Mi reina, mi jinete, acelera su ritmo a vista de la meta, oscura llamarada el pelo negro, violentada hacia atrás la cabeza entre jadeos… La luz al rojo blanco se exaspera, me duele, se hace insoportable… De pronto ella gira el cuello y es el vivo retrato de mamá, el perfil a tres cuartos, ahora sobre mí como soñé de niño ante el *mihrab* sagrado…

«¡Mamá! ¡Sí!» claman mis labios, justo cuando mi cuerpo estalla, se desintegra todo y a sacudidas me vacío en mi amante, me vacío en dolor, me acuchilla la luz violentísima que, al cegarme con su incendio, me sepulta en la noche absoluta.

EL SUCESO

La joven periodista en prácticas, enviada por su redactor jefe al lugar del suceso, contempla el cuerpo tendido, piadosamente cubierto por una vieja manta. Sólo quedan a la vista las piernas desde las rodillas, vestidas con pantalones grises, calcetines verdes y bien lustrados zapatos.

—¿Usted le conocía? —pregunta la periodista acercando su grabadora al conserje del edificio de oficinas, un cincuentón canoso de hablar pausado.

—De verle venir de tiempo en tiempo a la consulta del doctor Navarro, el cardiólogo de la tercera planta. Se llama don Mario, no sé más. Era un señor callado, pero alguna vez comentamos algo. No era nada estirado, ¿me comprende?

—¿Fue todo muy rápido?

—No dio tiempo a nada... Estaba yo ahí en mi mesa de recepción, viendo entrar y salir público como todas las mañanas, cuando se abrió la puerta de uno de los ascensores y apareció el pobre señor... Andando tan normal, ¡quién lo iba a pensar!... De pronto, yo, que estaba pendiente de si me miraba para saludarle, le noté algo raro, el paso inseguro, como si resbalase... Acudí a sostenerle, le dejé tendido en el suelo para pedir auxilio porque respiraba mal, estaba muy sudoroso. Corrí a mi telefonillo y llamé a la consulta de donde él venía, ¡tenía yo un apuro!... Me contestaron, les conté lo que pasaba, colgué y me vine corriendo por si podía aliviarle, qué sé yo...

—¿Le dolía, se quejaba, dijo algo?

—Nada. Tenía que dolerle, me figuro, pero no lo parecía en su cara. Al revés, la boca sonreía, se lo juro; tenía los ojos medio cerrados y parecía como si estuviera viendo por dentro algo de gusto... Meneó un poco el cuerpo, del talle abajo... De pronto abrió los ojos, muy vivos, mirando a lo lejos, como alegres, ¿usted lo entiende, si estaba muriéndose?... Y movió los labios.

—¿Habló?

—Entonces sí. Muy bajo, pero muy claro. Dijo: «¡Mamá! ¡Sí!»... Llamaba a su madre, ya ve usted.

—Natural, en ese trance... ¡Pobre hombre!

—Y ya no se movió, ni habló más, ni respiraba... Justo llegaron del ascensor dos de la consulta con un aparato, le reconocieron, le desnudaron el pecho, le aplicaron unas placas... Vinieron pronto y lo hicieron de prisa, pero cuando empezaron a darle unos choques, como decían ellos, ya era tarde.

—¿No lograron reanimarle?

—¡Qué va! Cuando a cada cual le llega su hora, se acabó... Se volvieron a la consulta y quedaron en llamar ellos a la policía, que llegó pronto; ahora estoy esperando por el juzgado a levantar el cadáver.

La periodista apaga su grabadora y la guarda en su amplio bolso.

—Al menos parece que no sufrió mucho —concluye sacando una libreta donde empieza a apuntar detalles para ambientar su crónica en ese gran vestíbulo, aunque se pregunta si le publicarán su gacetilla sobre un caso tan corriente.

Es hora de actividad; entran y salen empleados y visitantes. Algunos se detienen un momento ante el yacente, alguien pregunta al conserje, una pareja del brazo susurra comentarios entre los dos, la mayoría pasa de largo lanzando todo lo más una mirada... La periodista se cruza al salir con un guardia que llega en ese instante. Un suceso como tantos.

ÍNDICE

La Vivencia 11

El Suceso 251